Harlequin
salue l'arrivée du printemps

Sous sa parure d'argent,
ÉDITION SPÉCIALE,
avec ses trois titres mensuels
vous entraîne dans des
aventures modernes, dynamiques,
avec ces héroïnes énergiques
et actives qui savent lutter
pour atteindre leur but,
qui avancent,
malgré les embûches, vers
l'homme qu'elles ont choisi
Laissez-les vous emporter dans
le tourbillon de la vie..

Plus que jamais, Harlequin
a la couleur de vos rêves

HARLEQUIN,
les romans de la grande émotion.

NORA ROBERTS

Un bruit dans la nuit

HARLEQUIN

Cet ouvrage a été publié en langue anglaise sous le titre :

NIGHT MOVES

Publié originellement par
Harlequin Books, Toronto, Canada

53, avenue Victor-Hugo, Paris XVIe - Tél. 45.00.65.00.
ISBN 2-280-09096-1

Chapitre 1

— Qu'est-ce qui t'a pris de venir t'enterrer dans un trou pareil ?

Maggie, à quatre pattes, ne releva pas la tête.

— C.J., tu te répètes.

C.J. tira sur le bord de son pull en cachemire. C'était un homme qui avait fait de l'anxiété un art, et il s'angoissait pour Maggie. Il fallait bien que quelqu'un s'inquiète, non ? Frustré, il l'observa. Sa lourde chevelure brune était prise dans un chignon lâche. Son cou était mince, sa silhouette délicate, presque fragile. Maggie lui faisait penser à une aristocrate anglaise du dix-neuvième siècle, une de ces femmes qui avaient bâti l'empire malgré leurs frêles ossatures et leurs teints de porcelaine.

Elle portait un tee-shirt mouillé de transpiration et un jean délavé. Lorsqu'il regarda ses mains couvertes de terre, il frémit. Il savait ce qu'elles étaient capables de créer.

Après deux mariages et quelques liaisons, C.J. comprenait les femmes, leurs brusques sautes d'humeur. Il passa un doigt sur sa moustache poivre et sel. C'était à lui de la ramener gentiment au monde réel.

Il contempla un instant les environs. Rien que des arbres, des rochers et une immense solitude. Y avait-il des ours dans les parages ? Dans un monde bien réel, les bêtes sauvages étaient enfermées dans les zoos, et c'était tant mieux. Surveillant les alentours d'un regard suspicieux, il essaya encore.

— Maggie, combien de temps va durer cette toquade ?

— Quelle toquade, C.J. ?

Sa voix était basse et légèrement rauque, un peu comme si elle venait de s'éveiller. Une voix qui donnait aux hommes l'envie de la tirer du sommeil.

Cette femme le rendrait fou ! Que faisait-elle à plus de trois mille kilomètres de Los Angeles, les mains dans la terre ? Il était responsable des intérêts de Maggie, et des siens, accessoirement. C.J. laissa échapper un long soupir. Il allait falloir jouer serré. Négocier, après tout, faisait partie de son travail quotidien. Il se déplaça légèrement d'un pied sur l'autre, en prenant soin de ne pas salir ses mocassins immaculés.

— Mon chou, je t'adore. Rentre chez toi.

Cette fois, Maggie tourna la tête et sourit. Un sourire bref mais qui illumina tout son visage. Une bouche bien dessinée, un menton volontaire, des yeux en amande, d'un brun doré. Un visage terriblement attirant, sans qu'on puisse dire pourquoi. Même maintenant, sans maquillage, de la terre sur une joue, Maggie était ravissante.

Elle s'assit, souffla sur une mèche de cheveux

qui lui tombait dans l'œil et fixa l'homme qui l'observait d'un air désolé. Elle se sentit alors partagée entre deux sentiments, affection et amusement, une combinaison qui lui était familière.

— C.J., je t'adore également. Maintenant, cesse de te conduire comme une vieille femme.

Il lui lança un coup d'œil exaspéré.

— Tu n'es pas faite pour un endroit pareil. Te traîner à quatre pattes, à ton âge !

— Cela me plaît, répondit-elle avec simplicité.

Ce fut cette franchise qui lui fit comprendre qu'il allait avoir à affronter un véritable problème. Si Maggie avait crié, discuté, il aurait conservé toutes ses chances de la faire revenir sur sa décision. Mais lorsqu'elle était calmement têtue, comme aujourd'hui, il savait par expérience que cela devenait une tâche impossible. Parce qu'il était intelligent, il changea de tactique.

— Maggie, je comprends parfaitement que tu aies envie de t'éloigner, de te reposer. Personne n'en a plus besoin que toi.

Il fut assez satisfait de ce préambule, d'autant qu'il disait vrai.

— Pourquoi ne prends-tu pas deux semaines de vacances aux Bahamas ? Tu pourrais également te rendre à Paris et y faire quelques achats, non ?

— Hum !

Maggic se remit à genoux et contempla d'un air chagrin les pensées qu'elle venait de planter. Elles étaient toutes chiffonnées.

— Passe-moi l'arrosoir, veux-tu ?

— Tu ne m'écoutes pas.

— Mais si.

Se relevant, elle alla prendre l'arrosoir elle-même.

— Je connais déjà les Bahamas. Et je possède tant de vêtements que j'en ai laissé une bonne moitié au garde-meuble, à Los Angeles.

C.J. tenta une autre approche.

— Mais que vont dire les gens ? Ceux qui te connaissent, lorsqu'ils sauront que tu es venue te perdre dans ce patelin, penseront...

— Que je suis folle ?

Les pensées avaient pris un air penché. Trop d'eau. Elle avait encore beaucoup à apprendre en ce qui concernait la vie à la campagne.

— C.J., au lieu de t'en prendre à moi sans raison et d'essayer de me persuader de faire une chose que je ne désire pas accomplir, pourquoi ne me donnes-tu pas un coup de main ?

— Moi ?

Elle éclata de rire. Si elle lui avait proposé de mettre un glaçon dans un vin millésimé, il n'aurait pas été plus choqué.

— Passe-moi la clayette de pétunias.

Elle enfonça sa pelle dans le sol rocailleux.

— Le jardinage est un excellent exercice. Il rapproche de la nature.

— Je ne désire pas m'en approcher plus qu'il est nécessaire.

Pauvre C.J. pour qui la nature, dans ses moments écologiques les plus fous, était représentée par une piscine pleine de chlore ! En fait, il en avait longtemps été de même pour Maggie. Mais maintenant elle avait trouvé son paradis, sans même le chercher. Si elle n'était pas venue sur la Côte Est pour collaborer à une comédie musicale, si, après les longues séances d'enregistrement, elle ne s'était pas lancée sur la route du sud, jamais elle n'aurait découvert ce petit Eden.

Comme la vie était bizarre ! Roulant à l'aventure, elle avait traversé Morganville, un petit bourg aux maisons serrées dont la population ne dépassait pas quelques centaines d'âmes. Alentour, des fermes isolées. Et à la sortie de la petite ville, une pancarte annonçant qu'une maison sise sur six hectares de terre était à vendre. Maggie n'avait pas hésité un instant, ni discuté le prix.

Se retournant, elle contempla la maison de trois étages aux volets branlants. Effectivement, si ses amis voyaient ça ils ne pourraient que douter de son état mental. Elle avait quitté un immeuble à hall et piscine de marbre pour une bâtisse de planches disjointes plantée au milieu d'un désert de rocs. Pourtant, c'était ici qu'elle se sentait bien.

Maggie tapota la terre autour des pétunias. Ils avaient meilleure mine que les pensées. L'expérience, sans doute ; le métier qui commençait à rentrer.

— Qu'en penses-tu ? demanda-t-elle.

— Je crois que tu devrais retourner à Los Angeles pour y terminer ta partition.

— Je parlais des fleurs.

Se relevant, elle épousseta son jean.

— De toute façon, je vais terminer ce travail ici.

— Maggie, comment peux-tu composer dans un tel endroit ? explosa-t-il.

Il fit un grand geste théâtral des bras.

— Comment peut-on vivre ici ? C'est si loin de toute civilisation !

— Pourquoi ? Parce qu'il n'y a pas de boutiques et de restaurants à tous les coins de rue ?

Elle passa un bras sous celui de C.J.

— Allons, respire à pleins poumons. Cela ne peut pas te faire de mal.

— J'aime mieux le *smog* de la Côte Ouest, grommela-t-il.

C.J. était l'agent de Maggie, mais aussi son ami, son meilleur ami depuis la mort de Jerry. Y repensant soudain, il changea de ton, se fit plus gentil.

— Ecoute, Maggie, je sais que tu viens de passer de bien mauvais moments. Il est certain que Los Angeles te rappelle trop de souvenirs pénibles. Mais tu ne vas quand même pas t'enterrer dans ce bled !

— C'est Jerry que j'ai enterré il y a deux ans, C.J. Tout ça c'est du passé. Ma décision n'a rien à voir avec cette tragédie. Ici, je suis chez moi, c'est mon foyer. Je ne sais comment m'expliquer, mais cette montagne est ma montagne, maintenant, et j'y suis heureuse.

Il savait qu'insister ne servirait à rien, pourtant, il essaya encore.

— Maggie, regarde cette baraque.

Il laissa le silence s'installer entre eux pendant qu'ils fixaient la maison, sur la colline.

Il manquait une partie du plancher sous le porche et la peinture s'écaillait de partout. Maggie ne vit pourtant que le soleil qui composait des arcs-en-ciel sur les vitres.

— Tu n'es pas sérieuse, tu ne peux pas vivre là-dedans !

— Un peu de peinture, quelques clous...

Elle haussa les épaules. Elle avait remarqué depuis longtemps que les problèmes apparents n'avaient aucune importance. Ce qui se trouvait sous la surface des choses l'intéressait, maintenant.

— Il y a tant de possibilités, C.J.

— La plus probable étant que ce nid à rats va te tomber un jour sur la tête.

— Faux ! Le toit a été réparé la semaine dernière par un artisan local.

— Maggie, tu ne vas pas me faire croire qu'il y a d'autres gens dans ce coin perdu ! Un tel endroit ne peut être habité que par des elfes ou des farfadets.

— C'en était peut-être un, mais énorme. Un lutin d'un bon mètre quatre-vingts, solide comme un roc et pesant bien son quintal. Il répond au doux nom de Bog.

— Maggie...

— Il sait tout faire. Son fils et lui doivent passer bientôt pour réparer le porche et s'occuper du gros œuvre.

— D'accord, tu as trouvé un bon génie pour clouer et scier à ta place. Mais par là ?

Il la fit pivoter. Le terrain, autour de la maison, était rocailleux, tourmenté, enseveli sous les broussailles et les mauvaises herbes. Un grand arbre penchait dangereusement vers la toiture, une vieille vigne grimpante et un lierre se battaient en duel pour un peu d'espace vital.

— On dirait le château de la Belle au Bois Dormant, murmura Maggie. Ce sera un crève-cœur d'abattre cet arbre, mais M. Bog dit que c'est nécessaire.

— Il s'occupe aussi de jardinage ?

— Non, mais il m'a recommandé un paysagiste, Cliff Delaney, le meilleur de la région. Il doit passer aujourd'hui pour jeter un coup d'œil.

— S'il est intelligent, un regard au bourbier qui te sert d'allée lui suffira, et il prendra ses jambes à son cou.

— Mais ta voiture est bien passée, n'est-ce pas ? Ce chemin n'est donc pas si mauvais.

Mettant un bras autour de son cou, elle l'embrassa sur les deux joues.

— Crois bien que j'apprécie ta venue. Mais fais-moi confiance, C.J., je sais ce que j'entreprends. Ici, mon travail sera meilleur.

— Cela reste à prouver, gronda-t-il.

Il caressa son visage. Elle était encore assez jeune pour pouvoir rêver.

— Ce n'est pas ton travail qui m'inquiète, reprit-il.

— Je sais.

Sa voix se fit plus douce. Elle n'était pas femme à contrôler ses émotions, mais plutôt à se laisser guider par elles.

— Ici, j'ai la paix, C.J., pour la première fois de ma vie.

Il la connaissait assez pour savoir qu'elle ne céderait pas. Pour l'instant. Depuis sa naissance Maggie vivait dans un monde à part, elle avait sans doute besoin de compensations.

— J'ai un avion à prendre, déclara-t-il. Puisque tu veux rester ici, promets au moins de me téléphoner chaque jour.

Maggie l'embrassa encore.

— Une fois par semaine. Tu recevras la partition complète dans dix jours.

Le prenant par la taille, elle le reconduisit jusqu'à sa Mercedes de location, luxe incongru au milieu de tous ces rochers.

— J'adore ce film, C.J. En lisant le script, je n'aurais pas osé imaginer qu'il soit si bon. La musique vient toute seule.

Il poussa un grognement excédé.

— Si jamais tu te sens trop seule...

— Ne t'inquiète donc pas ! Je me débrouille très bien, à ma grande surprise. Fais un bon voyage et cesse de te torturer.

Elle le poussa dans la voiture et il vérifia immédiatement qu'il n'avait pas oublié sa Dramamine. Ne pas s'inquiéter ? Elle en avait de bonnes !

— Envoie-moi la partition. Si elle est sensationnelle, je cesserai peut-être de me tracasser.

— Elle l'est. *Je suis* sensationnelle ! ajouta-t-elle en regardant la Mercedes démarrer doucement. Dis aux amis que je vais m'acheter des chèvres et des poules.

La voiture stoppa net.

— Maggie !

Elle éclata de rire.

— Pas encore. Mais peut-être à l'automne. Oh, à propos, expédie-moi une boîte de chocolats Godiva.

Elle le vit sourire. Les chocolats, il comprenait, mais pas les chèvres.

C.J. s'éloigna, rassuré. Dans six semaines Maggie serait de retour à Los Angeles. Il jeta un coup d'œil au rétroviseur et l'aperçut, petite et menue, perdue au milieu de ce paysage sauvage. Soudain il frissonna. Maggie n'était pas en sécurité dans ce désert, il ne savait pourquoi, mais il en était persuadé.

Hochant la tête, il plongea la main dans sa poche, à la recherche de sa boîte de calmants. La voiture rebondit durement sur un rocher. Tout le monde lui disait qu'il se faisait trop de souci.

« Si tu te sens trop seule... » Non, Maggie ne ressentait aucune solitude. Sans savoir pourquoi, elle fut même certaine qu'elle le serait beaucoup moins qu'en ville.

Elle se retourna et contempla la colline caillouteuse. Des rosiers ! Pour l'instant, les feuilles n'étaient encore que des bourgeons, mais dans quelques semaines ils seraient en fleur. Elle essaya d'imaginer l'endroit en hiver. De la neige. Un paysage blanc et noir avec de la glace sur les branches. A l'automne tout devait être roux. Non, elle ne se sentirait pas seule.

Pour la première fois, elle pourrait décorer une maison à son goût, y laisser sa marque. Elle ferait de la musique et vivrait en paix.

Quand elle restait parfaitement immobile et fermait les yeux, elle pouvait déjà entendre de la musique. Le bruissement du vent dans les branches et les premières feuilles, la mélodie de l'eau vive sur les galets. Le silence lui-même était riche, coulant sur elle comme une symphonie.

Cette maison, ces terres, elle les désirait depuis toujours sans le savoir. Parce que sa naissance avait été célébrée par toute la presse internationale, ses premiers pas, ses premiers mots donnés en pâture au public, il était normal que Maggie n'ait jamais su qu'une telle vie pouvait exister.

Sa mère était l'une des chanteuses les plus célèbres d'Amérique, son père un metteur en scène connu. Leur mariage avait fait l'objet de reportages dans le monde entier. Et la naissance de leur fille avait été traitée comme celle d'une princesse. D'ailleurs, Maggie avait mené une vie princière, sous l'œil des objectifs des photographes. Tout ce qu'elle faisait ou disait était du domaine public. Lorsque ses parents étaient morts dans un accident d'avion, cela avait continué, sans qu'elle protestât. Le monde avait pris le deuil avec elle, pour ses dix-huit ans.

Puis il y avait eu Jerry, son premier ami, son premier amour, son mari. Avec lui, la vie avait continué comme par le passé, pour se terminer en tragédie.

A vingt-huit ans, Maggie avait reçu deux Oscars, un nombre incalculable de disques d'or, toutes sortes de récompenses. Elle pouvait s'asseoir devant son piano et jouer par cœur n'importe laquelle des chansons qu'elle avait composées.

Les fleurs qu'elle venait de planter, personne, peut-être, ne les remarquerait, mais pour elle c'était beaucoup d'amour, sans garantie de succès. Ces fleurs ajoutaient une tache de couleur à sa terre.

Maggie se mit à chantonner.

Normalement, Cliff Delaney ne se dérangeait pas pour un devis. Plus maintenant. Depuis six ans, son succès était tel qu'il pouvait se permettre d'adresser un de ses collaborateurs à ses clients. Si le travail était particulièrement intéressant, il lui arrivait encore de s'en occuper personnellement, mais c'était rare. Aujourd'hui, il faisait une exception.

Il connaissait bien la propriété Morgan. Elle avait été bâtie par le Morgan qui avait fondé Morganville. Depuis dix ans, cependant, depuis que la voiture de William Morgan était tombée dans le Potomac, la maison était vide, inhabitée. La bâtisse était sévère, le terrain alentour terriblement escarpé. Cependant avec quelques améliorations, on devait pouvoir en faire un endroit magnifique. Mais cette dame de Los Angeles partagerait-elle ses idées ?

Il avait entendu parler d'elle, naturellement. Quiconque savait lire, allait au cinéma, écoutait la radio ou regardait la télé connaissait Maggie Fitzgerald. Pour l'instant, sa venue passionnait tout Morganville. On en avait même oublié que la femme de Lloyd Messner s'était enfuie avec le directeur de la banque.

C'était une petite ville tranquille, qui évoluait lentement. Ici, l'achat d'une voiture de pompiers était encore un événement. Voilà pourquoi Cliff avait choisi d'y vivre, alors qu'il aurait pu s'installer où bon lui semblait. Il avait grandi ici, comprenait ses concitoyens, et plus encore, leurs terres. Cet adorable compositeur californien n'entendrait rien aux uns ni aux autres.

C.J. pensait qu'il faudrait six semaines à Maggie avant de repartir. Sans même lui avoir parlé, Cliff avait divisé ce délai en deux. Mais avant qu'elle s'en aille, il aurait peut-être le temps de laisser sa marque sur la propriété.

Il s'engagea dans l'allée qui menait à la maison Morgan. Il y avait des années qu'il n'y était venu et le chemin était encore pire que dans ses souvenirs. La pluie avait ouvert deux grandes ornières dans la terre. De chaque côté, des branches venaient frapper la carrosserie de son pick-up. D'abord refaire ce chemin, se dit-il. Il faudrait en aplanir la surface, la renforcer, la gravillonner, creuser des fossés pour l'écoulement des eaux de pluie.

Il roulait lentement, non par peur d'abîmer sa camionnette, mais parce que le paysage lui plaisait. L'endroit était sauvage et primitif, hors du temps. Pourvu que Maggie Fitzgerald n'ait pas l'intention de le gâcher. Si c'était le cas, elle avait sonné à la mauvaise porte, et il le lui ferait savoir.

Cliff se méfiait des étrangers au pays, non sans raisons. La plupart débarquaient des beaux quartiers de Washington et désiraient de grandes pelouses bien plates faciles à tondre, des haies tracées au cordeau, le tout sur des terrains en pente coupés de ravines. Ce qu'ils voulaient, par-dessus tout, c'était pouvoir dire qu'ils vivaient à la campagne alors qu'ils amenaient les habitudes de la ville avec eux. En arrivant devant la maison, il ne pouvait déjà plus supporter Maggie Fitzgerald.

Maggie entendit le camion avant même qu'il soit en vue. C'était encore une des choses qui lui faisait aimer cet endroit. Le calme. En ville, un camion ne se remarquait pas, ici, on l'entendait venir d'un kilomètre. Bien que n'apercevant pas le conducteur à travers le pare-brise, elle sourit et fit un geste de bienvenue de la main.

Cliff la trouva plus petite qu'il ne pensait, plus délicate. Il se demanda si elle désirait faire pousser des orchidées et descendit du pick-up, persuadé qu'elle allait terriblement l'ennuyer.

Maggie, de son côté, s'attendant à un autre M. Bog, eut du mal à cacher sa surprise. Quel bel homme ! Au moins un mètre quatre-vingt-dix. Et des épaules ! Les cheveux noirs, très noirs. Une bouche bien dessinée, sensuelle, mais qui ne devait pas sourire souvent. Comme il portait des lunettes de soleil, elle ne put voir ses yeux et en fut déçue.

Elle le regarda s'avancer. Une démarche athlétique, beaucoup d'assurance. Peut-être un peu trop. Elle eut l'impression qu'il ne se conduirait pas avec elle de façon très amicale.

— Miss Fitzgerald ?

— Oui.

Elle lui tendit la main.

— La firme Delaney ?

— C'est cela.

Leurs mains se joignirent un court instant, l'une petite et douce, l'autre tannée et assez formidable. Sans se présenter, il attaqua immédiatement.

— Vous désirez un devis, m'a-t-on dit.

Suivant son regard, elle sourit.

— C'est exact. J'espère que votre compagnie accomplit des miracles.

— Nous connaissons notre métier.

Derrière elle, il aperçut quelques pensées noyées et des pétunias détrempés. Ses efforts le touchèrent, mais il demeura convaincu qu'elle partirait bien avant qu'il puisse entreprendre le moindre travail.

— Si vous me disiez ce que vous désirez ?

— D'abord un verre de thé glacé. Jetez un

coup d'œil pendant que je vais le chercher. Nous discuterons de mes projets à mon retour.

Cliff la regarda s'éloigner et grimaça un sourire... Le solitaire qu'elle portait au cou, au bout d'une chaînette, était énorme. A quoi jouait cette petite Miss Hollywood ? Elle avait laissé une bouffée de son parfum derrière elle, une senteur légère et subtile qui remuait un homme. Haussant les épaules, il tourna le dos à la maison et étudia le terrain.

Il serait facile d'en faire quelque chose, même sans tout réformer. Et à condition, surtout, de ne rien aplanir. Toutes ces différences de niveaux ajoutaient au charme de l'ensemble.

Il s'éloigna un peu pour se diriger vers un bouquet d'arbres dont les troncs disparaissaient au milieu des broussailles. Il ferma les yeux et l'imagina, une fois débarrassé des ronces, les branches élaguées, le sol planté de jonquilles. Ce serait un havre de paix. Mais Maggie Fitzgerald le désirait-elle ainsi ? D'après ce que les journaux écrivaient, une vie paisible n'était pas dans ses habitudes.

Pourquoi diable était-elle venue s'installer ici ?

Avant même de l'entendre venir, il sentit son parfum. Lorsqu'il se retourna, elle se tenait à un mètre de lui, deux verres à la main. Elle le dévisagea longuement, sans dissimuler sa curiosité. Jamais Cliff n'avait rencontré une femme ayant autant d'allure.

Maggie lui tendit un des verres.

— Vous voulez que je vous explique mes projets ?

— Je suis ici pour ça.

Sa voix légèrement rauque produisait sur lui un effet étrange, ce qui le poussait à se montrer si rude. Jamais Cliff ne s'était conduit ainsi avec un client. Maggie remarqua sa brusquerie, mais sans la relever. Cet homme semblait être son propre maître. Elle voulut en avoir le cœur net.

— C'est également mon opinion, monsieur... ?

— Delaney.

— Ah, le patron en personne !

Cela expliquait son assurance, mais pas son attitude.

— Eh bien, monsieur Delaney, on m'a affirmé que vous étiez le meilleur. Je vais vous raconter ce que je désire, puis vous me direz si vous pouvez le faire.

— Cela me semble raisonnable.

Pourquoi n'arrivait-il à détacher son regard de sa peau si douce ? Et de ses yeux de biche...

— Mais d'abord, je dois vous prévenir. La politique de ma compagnie est de ne jamais détruire l'ordre naturel des choses. La région est montagneuse, Miss Fitzgerald. Si vous désirez un hectare de pelouse impeccable, vous n'avez pas acheté le terrain qu'il fallait, et vous vous êtes adressée au mauvais paysagiste.

Il lui fallut beaucoup de volonté pour conserver son calme. Pourquoi se montrait-il si agressif ?

— C'est très honnête à vous de me le faire remarquer, dit-elle après avoir respiré trois fois profondément.

— Je ne sais toujours pas pourquoi vous avez acheté cette propriété, reprit-il.

— Je ne crois pas vous en avoir encore fourni la raison.

— Et cela ne me regarde pas. Mais ceci me regarde, ajouta-t-il en désignant le paysage de la main.

— Ne me condamnez-vous pas un peu prématurément, monsieur Delaney ?

Pour se donner une contenance, elle avala une gorgée de thé. Il était glacé, avec un petit goût de citron. Une furieuse envie de renvoyer cet individu l'agitait. Avant qu'elle ait le temps de se demander pourquoi elle ne le faisait pas, elle trouva la réponse. L'instinct. C'était l'instinct qui l'avait amenée à Morganville et lui avait soufflé d'acheter ce domaine. C'était encore son instinct qui lui disait qu'il était le meilleur.

— Ce petit bois, commença-t-elle, je veux qu'on le débroussaille sans toucher aux arbres.

Elle s'interrompit brusquement.

— Vous ne prenez pas de notes ?

— Non, continuez.

— Bon. Le pré, devant la maison. J'imagine que c'était une pelouse dans le temps.

Elle contempla un instant les mauvaises herbes dont certaines atteignaient presque sa taille.

— Ce sera de nouveau une pelouse. Mais je désire de l'espace pour planter. Des pins, probablement, afin d'éviter que la frontière entre la pelouse et les bois soit trop marquée. Puis il y a cet endroit qui descend vers l'allée, en contrebas.

Oubliant sa nervosité, Maggie traversa la partie relativement plate du terrain et s'arrêta au sommet d'une pente abrupte. Celle-ci était également couverte de hautes herbes, là où les rochers le permettaient.

— C'est trop pentu pour y planter du gazon,

déclara-t-elle. Cependant je ne peux pas laisser toute cette végétation sauvage. J'aimerais un peu de couleur, mais sans uniformité.

— Dans ce cas, il vous faudrait des plantes vertes à feuillage persistant. Des genévriers tout au long du bas de la pente et de ce côté, mélangés à des forsythias. De l'autre côté, là où la pente est plus douce, nous pourrions mettre des plantes basses et couvrantes. Des phlox, par exemple. Cet arbre devra être abattu, ajouta-t-il en désignant celui qui menaçait le toit.

Il lui montra ensuite deux ou trois arbres sur la colline, juste derrière la maison.

— Ceux-ci aussi, avant qu'ils tombent d'eux-mêmes.

Maggie fronça les sourcils mais ne dit rien. Après tout, c'était lui l'expert.

— D'accord, finit-elle par murmurer. Mais je ne veux pas qu'on coupe plus qu'il n'est nécessaire.

Elle le regarda mais ne vit que son propre reflet dans ses lunettes.

— Ne vous inquiétez pas, répondit-il.

Il fit le tour de la maison.

— Là, nous avons un problème. Ce tertre ne va pas tarder à s'écrouler et vous vous retrouverez un jour avec un arbre ou un rocher dans votre cuisine.

— Que faut-il faire ?

— Bâtir un mur de retenue à sa base et mettre des plantes dont les racines retiendront la terre.

— Cela me paraît raisonnable. De ce côté, j'aimerais une rocaille. Il y a énormément de rochers par ici qui pourront vous servir. Quant à ce ravin...

Cliff lui prit le bras et l'empêcha d'aller plus loin. Ce contact les fit sursauter tous deux. Plus surprise qu'alarmée, Maggie se tourna vers lui.

— N'allez pas par là, lui dit-il.

— Pourquoi ?

Il ne répondit pas immédiatement et elle s'impatienta.

— Monsieur Delaney !

— Les serpents, dit-il simplement. Ils doivent grouiller dans ce creux. D'ailleurs, avec toute cette végétation, on doit en trouver partout.

Maggie fit un énorme effort pour s'empêcher de frissonner.

— Dans ce cas, vous ferez bien de commencer le plus tôt possible.

Il sourit, pour la première fois. Un sourire à peine esquissé, prudent. Il lui tenait toujours le bras mais tous deux l'avaient oublié. Curieux, cette réaction... A la mention des serpents, il s'était attendu à ce qu'elle pousse au moins un cri. Sa peau était très douce.

— Je pourrai sans doute envoyer une équipe la semaine prochaine, murmura-t-il, mais la priorité des priorités demeure l'allée.

Maggie haussa les épaules.

— Faites comme vous l'entendez. A condition de ne pas goudronner ma route. Pour moi ce n'est qu'un moyen pratique d'aller et de venir. Je préfère me concentrer sur la maison et le jardin.

— La réfection de l'allée va vous coûter dans les...

Elle le coupa.

— Le prix n'a pas d'importance, dit-elle du ton de quelqu'un pour qui l'argent n'avait jamais été un problème. Lorsque vous vous serez débarrassé des serpents, ajouta-t-elle, je voudrais un étang au fond du ravin.

— Un étang ?

— Oh, un tout petit, monsieur Delaney. Ce sera ma seule excentricité. Je suis persuadée qu'il y a assez de place. D'ailleurs, cet endroit est mal orienté, on ne peut rien en faire. Vous n'aimez pas l'eau ?

Au lieu de répondre, il se mit à étudier le fond du ravin. Elle n'aurait pu choisir un meilleur endroit. Le bassin serait bien visible de la maison. Ce ne serait pas facile à réaliser, mais c'était faisable. Et ce serait très joli.

— Cela va vous coûter très cher, dit-il enfin. Vous dépensez énormément d'argent pour ce domaine. Si c'est pour le revendre et en tirer un profit, ça ne marchera jamais. Une propriété comme celle-ci ne se vend pas facilement.

Ce fut la goutte d'eau qui fit déborder le vase. Maggie était fatiguée d'entendre les gens mettre en doute son bon sens.

— Monsieur Delaney, je vous ai engagé pour remettre de l'ordre dans ce jardin, pas pour me conseiller sur la valeur des terrains ou l'emploi de ma fortune. Si vous ne vous en sentez pas capable, dites-le ! Je m'adresserai ailleurs.

Il plissa légèrement les yeux, serra un peu plus son bras.

— J'en suis parfaitement capable, Miss Fitzgerald. Je vais vous préparer un devis et un contrat. Vous les recevrez au courrier, demain. Si vous êtes toujours d'accord, après les avoir lus, téléphonez à mon bureau.

Il lâcha doucement son bras et lui tendit son verre.

— Au fait, dit-il en s'éloignant, vous avez trop arrosé ces pensées.

Maggie laissa échapper un long soupir et renversa le thé tiède sur le sol.

Chapitre 2

Lorsqu'elle fut seule, Maggie regagna la maison. Elle y pénétra par la porte de la cuisine, celle dont les gonds couinaient abominablement. Il ne fallait plus qu'elle pense à Cliff Delaney. D'ailleurs, elle ne le reverrait sans doute jamais. Il allait lui envoyer une équipe, et s'il y avait un problème, il se contenterait probablement de lui téléphoner. C'était mieux ainsi. Il s'était conduit de manière inamicale, brutale et ennuyeuse. Pourtant, il avait une jolie bouche.

Après avoir déposé les verres dans l'évier, elle s'accouda à la fenêtre et contempla la colline qui s'élevait derrière la maison. Pendant qu'elle regardait, quelques pierres et de la terre s'en détachèrent. Un peu de pluie, et tout s'écroulerait. Un mur de retenue. Maggie hocha la tête. Cliff Delaney connaissait son métier.

Il y avait juste assez de brise pour qu'elle sente les premiers parfums du printemps. Dans le petit bois, un oiseau se mit à chanter. En l'écoutant, Maggie oublia les éboulements, la grossièreté de cet étranger. Elle leva les yeux et regarda le ciel.

La vue changerait-elle au gré des saisons ? Comme Maggie était impatiente de les voir défiler. Enfin chez elle ! Pour la première fois elle découvrait à quel point un foyer lui avait toujours manqué.

Avec un soupir, Maggie décida qu'il était grand temps de se mettre au travail. Si elle voulait expédier la partition dans les dix jours, il n'y avait plus un instant à perdre. Elle traversa le hall et pénétra dans le salon qu'elle avait transformé en salle de musique.

Des caisses qu'elle n'avait pas eu le temps d'ouvrir garnissaient tout un côté de la pièce. Contre un mur, des meubles laissés par la propriétaire, et recouverts de housses poussiéreuses. Pas de rideaux aux fenêtres, pas de tapis sur le parquet. Sur les murs, des traces plus claires, là où avaient été accrochés des tableaux dans le temps. Au milieu de la pièce, luisant et élégant, le piano demi-queue. A côté du tabouret, une boîte. Maggie en tira une rame de papier à musique. Après avoir coincé un crayon derrière son oreille, elle s'assit.

Un long moment, elle ne fit rien, laissant la musique revenir, la jouant dans sa tête. Elle savait ce qu'elle voulait pour cette scène : quelque chose de dramatique, de fort et de puissant. Les yeux clos, elle revit l'épisode du film dont elle écrivait la musique. C'était à elle de la souligner, de l'accentuer.

Maggie mit son magnétophone en marche et commença à composer.

Elle ne travaillait que sur des films qui l'inspiraient. Bien que ses deux Oscars soient la preuve qu'elle excellait dans ce genre, elle préférait de beaucoup composer des chansons, paroles et musique.

Pour Maggie, une musique de film ressemblait à la construction d'un pont. Il y avait d'abord les plans, les études, puis on commençait à bâtir, lentement, méticuleusement, jusqu'à ce que le pont prenne forme et repose sur les rives. Deux points d'appui solides et une arche élégante. Du travail de précision.

Une chanson, c'était comme un tableau. On la créait selon l'humeur du moment. Cela partait en général d'un mot, d'une phrase, de quelques notes. En peu de temps on pouvait y mettre ses émotions, un sentiment subtil, une histoire structurée, une impression. Un travail d'amour.

Lorsqu'elle composait, Maggie oubliait le temps, l'endroit, tout ce qui ne la rattachait pas à son œuvre. Ses doigts couraient sur les touches pendant qu'elle répétait le même passage encore et encore, ne changeant parfois qu'une note, jusqu'à ce que son instinct lui dise que c'était parfait. Une heure passa, puis une autre. Cette répétition constante ne l'ennuyait pas, ne l'énervait pas. Cela faisait partie du jeu.

Elle n'aurait pas entendu qu'on frappait à la porte si elle ne s'était arrêtée pour rembobiner le magnétophone. Désorientée, elle ne répondit pas. La femme de chambre irait ouvrir. Puis elle se souvint.

« Plus de femme de chambre, Maggie. Plus de jardinier, plus de cuisinière. Tu vis seule, maintenant. » L'idée lui plut.

Elle traversa le hall et se dirigea vers la lourde porte d'entrée. A la campagne, disait-on, les gens ne fermaient jamais leurs portes. Pour Maggie, il serait facile de les imiter. Serrures et chaînes étaient le dernier de ses soucis. Prenant la poignée à deux mains, elle la tourna et tira de toute ses forces. Il faudrait qu'elle pense à dire à M. Bog que cette porte était toujours coincée.

Sous le porche se tenait une grande femme frisant la cinquantaine. Ses cheveux étaient d'un gris uniforme, sa coiffure sévère. Des yeux bleus délavés étudièrent Maggie derrière des lunettes à monture rose. L'intruse ne souriait pas, elle semblait même avoir oublié ce que sourire signifiait, mais cela ne décontenança pas Maggie.

— Bonjour ! lui lança-t-elle. Que puis-je pour vous ?

— Vous êtes Miss Fitzgerald ?

La voix était curieusement détimbrée.

— Oui. C'est bien moi.

— Je suis Louella Morgan.

Il fallut un moment pour que Maggie comprenne. Louella Morgan, la veuve de William Morgan, l'ancien propriétaire de sa maison. Un instant, ce fut elle qui se sentit intruse, mais elle se reprit rapidement et lui tendit la main.

— Comment allez-vous, madame Morgan ? Voulez-vous entrer ?

— Je ne veux pas vous déranger.

— Allons, ne faites pas de façons, l'encouragea Maggie en tenant la porte ouverte. J'ai rencontré votre fille lorsque j'ai acheté la maison.

— Oui, Joyce me l'a dit.

Le regard de Louella fit le tour du hall, puis elle y pénétra.

— Elle ne pensait pas vendre aussi vite. Elle n'avait mis la maison en vente que la semaine précédente.

— C'est le destin, madame Morgan.

Il fallut qu'elle pousse la porte de l'épaule pour la refermer. Décidément, c'était un travail pour Bog.

— Le destin ? s'étonna la visiteuse en étudiant les murs nus.

— J'ai l'impression que cette maison attendait que je passe pour se laisser vendre.

Elle la précéda vers la salle à manger qu'elle comptait transformer en salon.

— Venez vous asseoir. Voulez-vous un peu de café ? Une boisson glacée ?

— Non, merci. Je ne resterai qu'une minute.

Louella fit le tour de la pièce mais resta debout. Elle fixa un moment les murs au papier qui cloquait, les portes dont la peinture s'écaillait.

— Je voulais revoir la maison habitée, murmura-t-elle.

Maggie suivit son regard. Il fallait qu'elle débarrasse bientôt ces murs de leur tapisserie.

— J'aurai besoin de quelques semaines avant que la maison soit vraiment jolie.

Louella ne sembla pas l'entendre.

— Lorsque je suis arrivée ici, j'étais jeune mariée.

Elle sourit brusquement, mais si tristement que Maggie en eut le cœur serré. Cette femme semblait perdue.

— Mais mon mari désirait une demeure plus... moderne, poursuivit Louella, plus près de la ville et de ses affaires. Nous avons déménagé, et il a loué la maison.

Elle se retourna et fixa Maggie.

— C'est un bel endroit. Dommage qu'il ait été négligé si longtemps.

— C'est en effet un très bel endroit, acquiesça Maggie, soudain mal à l'aise. Je vais entreprendre des travaux dans la maison et dans le jardin.

Louella se dirigea vers une fenêtre pour regarder au dehors. Maggie s'était tue. Que lui dire ? Que désirait-elle entendre ? Un lourd silence tomba sur la pièce.

— Je vais peindre et poser le papier moi-même, balbutia enfin Maggie.

— Les mauvaises herbes ont tout envahi remarqua Louella, le dos tourné.

— Mais cela va changer ! s'exclama Maggie, faussement enthousiaste. Cliff Delaney est passé cet après-midi pour jeter un coup d'œil.

— Cliff ?

Louella sembla de nouveau s'intéresser à la conversation, son regard se fit moins vide.

— Un intéressant jeune homme, déclara-t-elle. Il parle peu mais ne manque pas d'intelligence. Il fera un excellent travail sur vos terres. C'est un de nos cousins.

Elle fit une pause et se mit à rire. Un petit rire grinçant qui agaçait les nerfs.

— Dans la région, nous sommes un peu tous parents.

Un cousin. Cela expliquait peut-être son attitude.

Il n'aimait sans doute pas que la terre des Morgan passe en des mains étrangères. Maggie l'écarta de ses pensées. Elle n'avait que faire de son approbation. La propriété était maintenant à elle.

— La pelouse, devant la maison, était magnifique dans le temps, murmura Louella.

Maggie eut soudain pitié d'elle.

— Elle le sera de nouveau. Tout va être nettoyé et replanté. Et derrière la maison également.

Désireuse de la rassurer, elle alla la rejoindre à la fenêtre.

— Il y aura aussi une rocaille et un petit étang dans le ravin, sur le côté.

— Un bassin ?

Louella lui jeta un long regard qui la fit frissonner.

— Vous allez faire nettoyer le ravin ?

— Oui, l'endroit est parfait.

Louella se passa la main sur le visage, comme pour en éloigner quelque chose.

— J'avais également une rocaille. Et des roses !

— Ce devait être magnifique, dit Maggie, gentiment. J'aurais bien voulu voir ça.

— J'ai des photos.

— Vraiment ?

Une idée lui vint qui éloigna cette impression de malaise.

— Si j'osais... Pourrais-je les voir un jour ? Cela m'aiderait beaucoup.

— Je vous les ferai parvenir. Vous avez été très aimable de me laisser entrer.

Elle jeta un dernier coup d'œil à la pièce.

— Cette maison me rappelle tant de souvenirs, soupira-t-elle.

Maggie la suivit dans le hall et se battit une nouvelle fois avec la porte pour l'ouvrir.

— Au revoir, Miss Fitzgerald.

— Au revoir, madame Morgan.

Elle eut de nouveau pitié de cette femme.

— Revenez quand vous voudrez.

Louella sourit. Ses yeux étaient fatigués.

— Merci.

Elle marcha vers une vieille Lincoln très bien entretenue, s'installa au volant et démarra doucement. Vaguement gênée, Maggie retourna dans la salle de musique. Elle n'avait pas rencontré beaucoup d'habitants de Morganville, mais le moins qu'on pouvait dire était qu'ils semblaient bizarres.

Ce fut le bruit qui réveilla Maggie. Un instant, la tête sous l'oreiller, elle se crut à New York. Les grondements qu'elle entendait ressemblaient à ceux des bennes à ordures au petit matin. Mais elle était à Morganville et ce genre de camion n'y existait pas. Ici, on mettait ses sacs à déchets dans le coffre de la voiture et on allait les jeter à la décharge municipale.

Pourtant, elle ne rêvait pas.

Maggie resta immobile une bonne minute, fixant le plafond. Le soleil éclairait l'édredon en biais. Maggie n'était pas une lève-tôt. Elle tourna lentement la tête. Sept heures ! Dieu du ciel !

Prudente, elle ne se leva pas d'un bond mais s'assit. Quel capharnaüm ! Des cartons partout, des piles de magazines de décoration. Sur l'un des murs, trois bandes de papier peint qu'elle avait posées la veille. Fond ivoire, avec des violettes. Des rouleaux et un bidon de colle se trouvaient dans un coin. Et ce bruit qui ne cessait pas !

Résignée, elle se leva, trébucha sur une paire de chaussures abandonnées, jura, puis se rendit à la fenêtre. De ce côté, la vue embrassait la pelouse du devant et la vallée. On apercevait même le toit rouge de la grange de lointains voisins. L'autre fenêtre donnait sur le côté de la maison ; bientôt elle pourrait contempler son étang.

Maggie ouvrit la fenêtre et frissonna. L'air du matin, bien que printanier, était frais. Le bruit de l'engin se fit plus présent. Curieuse, elle se pencha, oubliant le grillage de la moustiquaire qu'elle heurta et qui tomba sur le toit du porche. Encore du travail pour M. Bog ! A cet instant, un énorme bulldozer jaune s'avança.

Cliff Delaney avait tenu parole. Elle avait reçu le devis deux jours après son passage, l'avait trouvé raisonnable et avait téléphoné à son bureau où une voix de femme lui avait annoncé que les travaux commenceraient le lundi suivant.

On était lundi. Plissant les yeux, elle essaya de distinguer le conducteur. Non, ce n'était pas Cliff. Elle haussa les épaules et quitta la fenêtre. Pourquoi penser que Cliff Delaney conduisait lui-même ses machines ? Et pourquoi avoir espéré que ce soit lui ? N'avait-elle pas décidé de ne jamais le revoir ? Elle avait contacté son entreprise pour effectuer des travaux. Quand ceux-ci seraient terminés, elle signerait un chèque et le lui expédierait. Aussi simple que ça.

Pourquoi, alors, cette mauvaise humeur soudaine ? Elle préféra l'attribuer à son réveil matinal et alla prendre sa douche.

Deux heures plus tard, revigorée par le café

qu'elle avait préparé pour elle et le conducteur de l'engin, Maggie entreprit de nettoyer le sol de la cuisine. Puisqu'elle était debout, autant s'occuper. Sur la table, son magnétophone lui restituait le travail des jours précédents. La chanson du générique du film était pratiquement terminée côté musique, mais il y avait encore les paroles à écrire. Sur accompagnement du bulldozer, Maggie se mit à fredonner.

Maggie avait une curieuse façon de travailler. Mis à part les trois lés de papier de sa chambre, elle avait peint le plafond de la salle de bains et verni pratiquement toutes les marches de l'escalier, à l'exception de deux. Et maintenant, elle s'attaquait au carrelage de la cuisine. Elle trouvait plus amusant de progresser dans le désordre plutôt que de finir complètement une pièce avant de passer à la suivante.

De plus, ayant jeté un coup d'œil aux tomettes que recouvrait un vieux linoléum, elle avait eu envie de les dégager, toutes affaires cessantes.

Lorsque Cliff entra par la porte de derrière, il était d'une humeur de chien. Il était ridicule de perdre son temps ici alors qu'il avait tant de travail. Pourtant, il était venu. Il avait frappé à la porte de devant pendant cinq minutes, sans obtenir de réponse. Il savait pourtant que Maggie était là : le conducteur d'engin lui avait dit qu'ils avaient pris le café ensemble une heure plus tôt.

La musique retint son attention, fit jouer son imagination. Il n'avait jamais entendu cette mélodie auparavant. Un solo de piano, sans cuivres ni cordes, mais qui avait le pouvoir d'obliger l'auditeur à suivre chaque note. Il s'arrêta, à la fois troublé et ému.

Sous son bras, Cliff tenait le grillage qu'il avait ramassé devant le porche. Au moment où il allait frapper, il la vit.

A quatre pattes, Maggie grattait le carrelage à l'aide d'une spatule de vitrier. Son visage était dissimulé par sa chevelure. Ses lourdes boucles brunes brillaient aux rayons du soleil.

Un pantalon de velours gris laissait deviner les courbes de ses hanches. Sa chemise rouge vif était nouée à la taille. Elle ne portait pas de chaussures. Que ses mains étaient fines ! Ce travail n'était pas fait pour elle. Comme pour lui donner raison, la spatule glissa et Maggie s'écorcha les phalanges sur le sol.

— Que diable faites-vous là ? s'écria-t-il en poussant la porte de la cuisine.

Il fut sur elle avant qu'elle ait le temps de réagir. S'accroupissant, il s'empara de son poignet.

— Ce n'est rien. A peine une écorchure.

— Vous avez de la chance de ne pas vous être coupée plus profondément.

Bien qu'il se soit emporté, ses gestes étaient doux. Maggie laissa sa main dans la sienne.

Comme il ne portait pas de lunettes, elle put voir enfin ses yeux. Ils étaient gris, couleur de crépuscule. Sans trop savoir pourquoi, elle décida alors que Cliff lui plaisait. Mais il allait falloir se montrer prudente.

— Il faut vraiment être stupide pour coller du linoléum sur d'aussi belles tomettes ! maugréa-t-elle.

Du geste, Maggie désigna l'emplacement qu'elle venait de dégager.

— C'est joli, non ? Enfin, ça le sera lorsque j'en aurai fini.

— Demandez donc à Bog de s'en occuper. Ce n'est pas un travail pour vous.

Encore ! Mais pour qui la prenait-on ?

— Pourquoi serait-il le seul à s'amuser ? D'ailleurs, je fais très attention.

— Je viens de m'en apercevoir.

Il lui montra son pouce entaillé.

— Je croyais que dans votre profession on prenait soin de ses mains.

— Elles sont assurées. Je pense être encore capable d'écrire quelques notes malgré la gravité de ma blessure.

Voyant qu'il ne souriait pas, elle retira sa main de la sienne.

— Etes-vous venu pour me critiquer, monsieur Delaney ?

— Non. Plus simplement pour vérifier le travail.

Pourquoi se faire du souci à son sujet ? Ce n'était qu'une passante qui repartirait avant même que les arbres fleurissent. Se redressant, il lui tendit le grillage.

— J'ai trouvé ceci dehors.

— Merci.

Elle prit le cadre garni de toile métallique et l'appuya contre la cuisinière.

— Votre allée sera bloquée pratiquement toute la journée. J'espère que vous n'avez pas à vous déplacer.

Sa voix était égale, mais Maggie sentit qu'il se moquait d'elle.

— Je n'en ai nulle intention, monsieur Delaney.

Il hocha la tête.

— Parfait.

Le tempo de la musique se fit plus rapide, plus dur. Un air à jouer un soir de canicule, par une nuit sans lune, pensa Cliff.

— Qu'est-ce que c'est ? demanda-t-il. Je ne l'ai jamais entendu.

— Une musique de film sur laquelle je travaille. C'est la mélodie du générique, celle qui lui donnera son titre.

Elle fronça les sourcils et écouta à son tour.

— Cela vous plaît ?

— Oui.

C'était la première fois qu'il lui répondait aussi directement. Elle voulut en savoir plus.

— Pourquoi ?

Il réfléchit quelques instants avant de parler.

— Cet air va droit au cœur, excite l'imagination. C'est bien le but de toute chanson, non ?

Il aurait pu le dire avec d'autres mots. Elle fut néanmoins ravie de sa réponse.

— C'est tout à fait cela ! Cet air reviendra souvent dans le film et soutiendra l'intrigue. C'est une histoire de passion et de mort. Deux êtres qui n'ont rien en commun mais qu'une passion insensée rapproche. L'un en mourra, d'ailleurs.

Elle ferma un instant les yeux, essayant d'imaginer des couleurs pour chaque note. Des couleurs de sang. Un soir étouffant, une nuit noire, sans lune... La musique cessa brusquement, et elle hocha la tête. Le haut-parleur du magnétophone laissa échapper un juron.

Maggie sourit.

— J'étais sur le point de conclure, puis la dernière phrase musicale m'a glissé entre les doigts. Je voulais une chute désespérée, or celle-ci n'est pas assez subtile. Une passion qui ne peut plus se contrôler...

— Ecrivez-vous toujours de cette façon ?

Il la dévisageait comme il avait observé le paysage, en scrutant les détails sans perdre de vue l'ensemble. Maggie s'assit tranquillement sur le sol. Voilà une conversation qui ne pouvait que tourner à son avantage. Elle savait tout de la musique.

— Quelle façon ?

— Plus avec vos sentiments qu'avec des notes.

Maggie écarta une mèche rebelle d'un revers de main et le regarda. Il y avait une certaine admiration dans ses yeux. Jamais personne, même ses collaborateurs les plus proches, n'avait aussi bien défini son style. Le fait qu'il soit le premier lui plut.

— Oui, répondit-elle simplement.

Il plongea son regard dans le sien et se redressa aussitôt. L'idée de ce que ces grands yeux doux pouvaient faire de lui ne lui plaisait guère.

— Voilà pourquoi votre musique a du succès.

Maggie éclata d'un rire léger. Pas à cause du compliment, mais parce qu'il avait été délivré d'un ton terriblement sérieux.

— Mais vous pouvez être aimable ! s'étonna-t-elle.

— Parfois. J'admire votre musique.

De nouveau, ce fut le ton qui la frappa.

— C'est bien tout ce que vous admirez en moi !

— Je ne sais pas.

— Vous ne m'aimiez guère en arrivant chez moi, l'autre jour.

Voilà qui était direct, pensa Cliff. Miss Fitzgerald, vedette de Hollywood, ne reculait devant rien, tout comme lui.

— J'ai un problème avec les gens qui vivent dans une tour d'ivoire. J'ai trop de respect pour la réalité.

— Parce que, selon vous, je ne comprends pas ce qui est réel ?

Il eut soudain envie de sourire. Ce petit bout de femme qu'il écrasait de toute sa taille donnait l'impression d'être capable de se jeter sur lui pour le terrasser, et avec des chances d'y parvenir. Pourtant, il ne sourit pas. Elle était du genre à prendre le bras si on lui offrait un doigt.

— L'allée sera gravillonnée à cinq heures, déclara-t-il d'un ton très professionnel.

Maggie ne se laissa pas impressionner.

— Vous êtes sectaire, étroit d'esprit, et vous ne savez rien de ma vie !

— Miss Fitzgerald, tout le monde dans la vallée connaît les moindres détails de votre vie.

— C'est ridicule ! Je...

Elle fut interrompue par la sonnerie du téléphone.

— Ne bougez pas, ordonna-t-elle avant d'aller répondre. Allô ! aboya-t-elle dans le combiné.

— La vie au grand air n'a pas amélioré ton caractère, mon chou.

— C.J. !

Elle fit un effort pour se calmer.

— Je suis désolée, tu arrives au beau milieu d'une conversation philosophique.

Derrière elle, Cliff poussa un petit ricanement qu'elle ignora.

— Pourquoi appelles-tu ?

— Comment, pourquoi ? Je suis sans nouvelles de toi depuis deux jours !

— Je t'avais dit que je téléphonerais chaque semaine. Cesse de t'inquiéter.

— Tu sais très bien que c'est impossible.

Maggie éclata de rire.

— Pauvre C.J. ! Si ça peut te consoler, on refait l'allée pendant que nous parlons. La prochaine fois que tu viendras, tu n'auras pas à te tracasser pour ta belle voiture de location.

— Et la maison ? Sais-tu que je rêve chaque nuit qu'elle va s'écrouler sur toi ?

— La maison ? Elle est solide comme un roc.

Son regard alla du sourire narquois de Cliff à la toile métallique de la moustiquaire, et elle pouffa.

— Pourquoi ris-tu ?

— Mais... je ne ris pas.

Maggie dut mettre sa main devant la bouche et eut du mal à se calmer.

— La partition est presque achevée.

— Presque ?

— Encore un ou deux jours. J'ai encore quelques problèmes avec la chanson du générique. Si tu raccroches bien gentiment, je pourrai peut-être y travailler. La bande magnétique sera sur ton bureau la semaine prochaine.

— Pourquoi ne pas la porter toi-même ? Nous déjeunerions ensemble et...

— Non !

Elle l'entendit soupirer.

— Cela ne coûtait rien d'essayer, murmura-t-il. Pour te prouver à quel point j'ai bon cœur, je t'ai envoyé un cadeau.

— Des chocolats ?

— C'est une surprise, je ne dirai rien. Il arrivera demain matin. A mon avis, tu seras tellement touchée que tu sauteras dans le premier avion pour venir me remercier.

— C.J. !

— Retourne à ton travail et n'oublie pas de me donner régulièrement de tes nouvelles. Je ne cesse de rêver que tu tombes du haut de cette montagne.

Il raccrocha et elle se tourna vers Cliff en souriant.

— Mon impresario. Il adore s'inquiéter pour rien.

— C'est ce que j'ai cru comprendre.

Ils s'observèrent un long moment en silence. Cliff le regard fixé sur sa gorge, Maggie la tête pleine du souvenir du contact de sa main. Finalement, elle s'éclaircit la voix.

— Monsieur Delaney...

— Cliff.

— D'accord. Cliff, il semble que nos relations aient mal démarré. Si nous nous concentrions sur ce qui nous intéresse mutuellement, mon jardin, la vie en serait grandement simplifiée.

Il hocha la tête et s'avança de quelques pas. Ce qui eut pour effet de coincer Maggie entre lui et la cuisinière. Il ne la toucha pas, mais tous deux y pensèrent. Des mains puissantes sur une peau veloutée... Une certaine douceur se transformant en passion...

— Je considère votre terre comme un défi, déclara-t-il à la longue en plongeant ses yeux dans les siens.

Maintenant, ils ne lui faisaient plus penser au crépuscule, mais à de la fumée, celle d'un incendie.

— C'est pourquoi je vais m'en occuper personnellement, ajouta-t-il.

Maggie ne recula pas parce que c'était ce à quoi il s'attendait. Elle soutint son regard. Dans le sien, il devait y avoir du désir, mais elle ne tenta pas de le dissimuler.

— Pourvu que le travail soit fait, murmura-t-elle.

— Exactement.

S'il restait une minute de plus, il ne pourrait s'empêcher de goûter à ses lèvres, et ce serait la plus grande erreur de sa vie. Pivotant brusquement, il gagna la porte.

— Appelez Bog, lui lança-t-il par-dessus l'épaule. Vos doigts sont faits pour caresser les touches d'un piano, pas pour manipuler des outils.

Lorsque la porte se referma, Maggie laissa échapper un long soupir. Machinalement, elle porta la main à son cœur. Il battait trop vite.

Elle se laissa alors tomber sur les genoux et empoigna la spatule, puis elle recommença à gratter les tomettes. S'il s'imaginait pouvoir lui dicter sa conduite... Maggie Fitzgerald était assez grande pour savoir ce qu'elle avait à faire !

Chapitre 3

Pour la troisième fois consécutive, Maggie fut réveillée par le bruit des machines. Elle poussa un juron. Dire qu'elle avait rêvé d'être tirée du sommeil par le chant des oiseaux !

Le bulldozer avait été remplacé par des scies à moteur, des machines barbares qui transformaient les branches en copeaux, et des camions. Vers sept heures quinze, n'y tenant plus, elle se leva et se doucha.

Quelle mine ! Debout devant son miroir, elle observa son image. Ces cernes sous les yeux... C'était sa faute, bien sûr, elle n'avait pas besoin de travailler à sa partition jusqu'à deux heures du matin. Et sa peau ! Maggie, sans être une coquette forcenée, avait toujours pris grand soin de son apparence. Entretenir sa peau, nager tous les matins... cela faisait partie de sa discipline quotidienne.

Depuis quelque temps, elle se négligeait. Il y avait au moins deux mois qu'elle n'avait pas mis les pieds dans un institut de beauté. Il fallait que cela change.

Après avoir enveloppé ses cheveux dans une

serviette sèche, elle commença à s'appliquer sur le visage un masque de beauté. La première esthéticienne se trouvait à plus de cent kilomètres, songea-t-elle tristement. Enfin, en se débrouillant bien, elle arriverait quand même à rester présentable.

Pendant qu'elle se lavait les mains, un aboiement aigu monta du rez-de-chaussée. Le cadeau de C. J. qui réclamait son petit déjeuner. Vêtue d'une robe de chambre courte, son turban sur la tête, le visage couvert du masque qui commençait à sécher, Maggie dévala les escaliers. Au moment où elle arrivait en bas, on frappa à la porte d'entrée, ce qui eut pour effet de rendre le chiot comme fou.

— Calme-toi, lui ordonna-t-elle en l'attrapant sous le bras. Je n'ai pas encore pris mon café, sois un peu gentil.

Le bébé bouledogue baissa la tête et émit un grondement sourd. Un vrai chien des villes, songea Maggie. Elle se demanda si C. J. n'avait pas fait exprès de le choisir ainsi. La porte résista et elle dut lâcher le chien pour tirer sur la poignée à deux mains.

La porte céda d'un coup, l'obligeant à reculer précipitamment. Affolé, le chiot alla se cacher dans une penderie en aboyant furieusement. Cliff se tenait sur le seuil.

— Moi qui croyais que la vie à la campagne était calme ! s'exclama-t-elle.

Il grimaça un sourire.

— Ce n'est pas toujours le cas. Je vous ai réveillée ?

— Je suis levée depuis des heures !

— Hum !

Ses yeux allèrent de la robe de chambre trop courte au chiot qui les observait de loin, prudent.

— Un de vos amis ?

— C'est un cadeau de mon impresario.

— Comment s'appelle-t-il ?

— Tueur, murmura-t-elle en lançant un regard dégoûté au froussard qui s'était mis à gémir.

Cliff contempla un instant le petit chien.

— Un nom très approprié. Comptez-vous le dresser et en faire un chien de garde ?

— Je vais lui apprendre à mordre les critiques musicaux.

Ele voulut se passer la main dans les cheveux, en un geste familier, et toucha la serviette, ce qui lui rappela le masque.

— Oh, mon Dieu !

Le sourire de Cliff s'élargit.

— Un instant, cria-t-elle en se précipitant dans l'escalier.

Dix minutes plus tard, elle redescendit, coiffée, légèrement maquillée, vêtue d'un jean noir et d'un pull blanc. Cliff était assis sur la dernière marche, en train de gratter le ventre du chiot. Maggie s'immobilisa en croisant les bras.

— Vous aviez quelque chose à me dire ?

Elle avait parlé d'un ton glacial, qui, curieusement, lui plut. C'était peut-être l'idée de savoir qu'il avait le pouvoir de la mettre en colère.

— Désirez-vous toujours cet étang ?

— Evidemment. Je ne suis pas une girouette qui change d'avis à chaque instant.

— Parfait. Nous allons nettoyer le ravin cet après-midi.

Il se leva et la dévisagea, pendant que le chiot les observait.

— Vous n'avez pas appelé Bog pour le sol de la cuisine.

— Comment le savez-vous ?

— A Morganville tout se sait.

— Cela ne vous regarde pas !

Son ton sec n'arriva pas à le rebuter.

— Il est difficile de passer inaperçu dans notre coin perdu, reprit-il. On ne parle que de vous en ville. Tout le monde se demande ce que la dame de Californie peut bien faire dans nos montagnes. Plus vous vous isolerez, plus on jasera.

— Vraiment ? Et vous ? Vous posez-vous les mêmes questions ?

Cliff reconnaissait un défi lorsqu'on le lui lançait. Il passa doucement un doigt sur sa joue. Elle ne bougea pas d'un pouce.

— Jolie peau, murmura-t-il.

Il caressa ensuite son menton.

— Très douce. Prenez bien soin de vous, Maggie. Je m'occuperai pendant ce temps de votre jardin.

Il partit sur ces mots, la laissant bouchée bée, de l'étonnement plein les yeux.

Vers dix heures, Maggie décréta qu'elle n'aurait pas encore la paix dont elle rêvait aujourd'hui. Les hommes criaient pour couvrir le bruit des machines. Des camions allaient et venaient sur l'allée fraîchement refaite. Elle se consola en pensant que dans quelques semaines elle serait enfin seule.

Elle reçut trois appels d'amis qui se demandaient ce qu'elle devenait. Au troisième, agacée par les questions imbéciles auxquelles elle n'avait pas envie de répondre, Maggie laissa le téléphone décroché et se rendit à la cuisine où elle se remit à gratter les tomettes.

Plus de la moitié du carrelage était maintenant à nu. Il n'était pas question de demander à Bog de terminer ce travail, malgré les recommandations de Cliff. Ce sol serait magnifique, et elle voulait en être la seule responsable.

Maggie venait à peine de commencer lorsqu'on frappa à la porte de service. Elle se retourna d'une pièce, prête à faire un scandale si c'était encore Delaney. Mais il s'agissait d'une visiteuse, une longue jeune femme mince aux cheveux bruns et aux yeux bleus, d'à peu près son âge. Joyce Morgan Agee, la fille de Louella. Comment n'avait-elle pas remarqué leur ressemblance plus tôt ?

— Madame Agee ! Entrez, je vous prie.

— Je ne voudrais pas vous déranger...

Joyce resta sur le seuil, le regard fixé sur le sol où l'on devinait des traces de colle.

— J'arrive de chez ma mère, et...

La jeune femme portait des chaussures très élégantes, ce qui expliquait sans doute son hésitation.

— Nous pouvons bavarder dehors, proposa Maggie.

Elle sortit sans plus attendre.

— Tout est en désordre, en ce moment.

Joyce se protégea les yeux du soleil en levant une main et regarda autour d'elle.

— Je vois que vous ne perdez pas de temps.

— Non, répondit Maggie en riant. Je n'ai jamais été très patiente. Pour une raison que j'ignore, je préfère voir l'extérieur achevé plutôt que l'intérieur.

— Vous n'auriez pu choisir une meilleure entreprise, murmura Joyce en désignant un camion qui passait.

Sur la portière, on pouvait lire : « Delaney ».

Maggie suivit son geste et répondit d'un ton neutre.

— C'est ce qu'on m'a dit.

— Je veux que vous sachiez que je suis très heureuse de vous voir remettre en état la propriété. Je ne me rappelle pas très bien à quoi elle ressemblait dans le temps. J'étais trop jeune quand nous avons déménagé. Mais je déteste le gaspillage.

Elle hocha la tête.

— Je ne pourrais pas vivre ici. J'aime la ville, les voisins. Mes enfants peuvent ainsi jouer avec des petits camarades. Puis il y a mon mari.

Il fallut un moment à Maggie pour se souvenir.

— Votre mari est le shérif, n'est-ce pas ?

— Oui, Stan est shérif, Morganville représente peu de chose comparée à Los Angeles, mais cela l'occupe à plein temps.

Elle sourit, pourtant Maggie la sentit tendue.

— Nous ne sommes pas des gens de grandes cités.

— Moi non plus, avoua Maggie en souriant à son tour. Je viens juste de le découvrir.

— Comment avez-vous pu abandonner... ?

Joyce se reprit et rougit.

— Je veux dire : cette existence doit être très différente de celle que vous meniez à Beverly Hills.

— C'est ce que je désirais.

— Ah, oui ? En tout cas, je suis très contente que vous ayez acheté la propriété, et si vite. Stan m'en a un peu voulu au début ; il me reprochait de l'avoir mise en vente pendant son absence, mais je ne pouvais plus supporter de la voir se détériorer. Si vous ne vous étiez pas décidée aussi rapidement, il aurait sans doute réussi à me faire changer d'avis.

— Nous avons toutes les deux eu de la chance. Vous parce que je n'ai pas hésité, moi en voyant la pancarte alors que j'allais quitter la ville.

Une chose étonnait Maggie. Pourquoi la maison Morgan appartenait-elle seulement à Joyce ? On aurait pu penser que sa mère en avait aussi hérité, sans parler de son mari.

— La véritable raison de ma venue tient à la visite que vous a faite ma mère. Elle m'a dit qu'elle était passée, il y a quelques jours.

— C'est une femme charmante.

— Oui.

Joyce, apercevant les hommes qui travaillaient, retint soudain son souffle. Ce fut très bref, mais Maggie le remarqua néanmoins. Sous leur aspect tranquille, mère et fille commençaient à éveiller sa curiosité.

— Il est possible qu'elle revienne vous voir, et à ce sujet j'ai une faveur à vous demander. Si elle vous ennuie, dites-le-moi.

— Pourquoi m'ennuierait-elle ?

Joyce laissa échapper un long soupir.

— Maman vit souvent dans le passé. Elle ne s'est jamais complètement consolée de la mort de mon père. Par moments, elle met les gens mal à l'aise.

Maggie se souvint de l'impression d'inconfort

qu'elle avait ressentie pendant et après la visite de Louella. Pourtant, elle secoua la tête.

— Votre mère sera toujours la bienvenue, madame Agee.

— Merci. Promettez-moi néanmoins de m'avertir si sa présence devient trop pesante. Vous comprenez, elle avait pris l'habitude de venir souvent ici, même lorsque personne n'y habitait. Je ne veux pas qu'elle vous dérange. Maman ne se rend pas compte que vous travaillez, qu'il vous faut du calme pour composer.

Maggie se remémora le regard perdu, le sourire triste.

— D'accord, soupira-t-elle. Si j'ai le moindre problème avec elle, je vous en ferai part.

Elle lut un immense soulagement sur le visage de Joyce.

— Merci beaucoup, Miss Fitzgerald.

— Appelez-moi Maggie.

— C'est entendu.

Elle sourit, peu sûre d'elle.

— Je comprends parfaitement que vous n'ayez pas envie qu'on vienne interrompre votre travail.

Maggie ne put s'empêcher de penser à tous ceux qui lui téléphonaient sans cesse. Encore ce matin...

— Je ne vis pas en recluse, Joyce. En fait, j'aime bien la compagnie. Lorsque le sol de la cuisine sera terminé, venez prendre le café avec moi.

— Ce sera avec plaisir. Oh, j'allais oublier !

Elle tira une enveloppe de son sac et la lui tendit.

— Maman m'a chargée de vous donner ceci. Ce sont des photos de la propriété.

Ravie, Maggie prit l'enveloppe. Elle n'aurait pas cru que Louella s'en souviendrait.

— J'espère qu'elles me seront utiles.

— Maman vous fait dire de les conserver aussi longtemps que vous en éprouverez le besoin.

Joyce hésita encore et se mit à jouer avec la bretelle de son sac.

— Eh bien, je dois partir. Mon plus jeune fils ne va pas tarder à sortir du jardin d'enfants, et Stan reviendra peut-être déjeuner à midi. J'espère vous voir bientôt en ville.

— Je l'espère aussi. Mes amitiés à votre mère.

Au moment où Maggie allait pénétrer dans la maison, elle aperçut Cliff qui se dirigeait à grands pas vers Joyce et lui prenait la main. Ils semblaient très bien se connaître. Malgré le bruit des moteurs qui l'empêchait d'entendre leur conversation, elle nota qu'il lui parlait très gentiment. On eût dit qu'il se faisait du souci pour Joyce. Il se pencha et caressa ses cheveux d'un geste fraternel. Frère ou amant ?

Après qu'il lui eut parlé un moment, elle secoua la tête et grimpa dans sa voiture. Cliff s'accouda un instant à la portière. Se disputaient-ils ? Fascinée par la scène muette qui se jouait devant elle, Maggie vit Cliff se redresser. Joyce démarra aussitôt.

Maggie voulut rentrer dans la maison, mais Cliff se retourna et leurs regards se croisèrent.

Le soleil était déjà haut dans le ciel, pourtant Maggie ne put s'empêcher de frissonner. Une envie soudaine de s'avancer vers lui, de tester cette passion qu'elle sentait poindre en elle la submergea. Pourquoi ne baissait-il pas les yeux ? Les mains tremblantes, elle poussa la porte et disparut.

Elle ne ressortit que deux heures plus tard. Maggie aimait relever les défis, qu'il s'agisse d'émotions ou d'ennuis. Avec Cliff Delaney, elle ne manquerait ni de l'un ni de l'autre. Pendant qu'elle grattait le sol, elle s'était reproché de se laisser intimider par Cliff. Ce n'était pas parce qu'il était terriblement beau et attirant qu'elle devait reculer.

Comme il était différent des hommes qu'elle rencontrait dans sa profession ! Lui, au moins, n'essayait pas de profiter de son charme. C'était sans doute pour cela qu'elle ne savait trop comment se conduire avec lui.

Maggie fit le tour de la maison et s'immobilisa. La jungle qui s'étendait là avait disparu, tout comme l'arbre qui menaçait de tomber. Deux hommes montaient un mur de pierre au pied du tertre.

Cliff Delaney savait mener son entreprise, se dit-elle en foulant le terreau fraîchement répandu. Sur le côté de la maison, il en allait de même. Un gros homme barbu conduisait une pelle mécanique au fond du ravin. La pelle s'enfonçait aisément dans le sol et en ressortait chargée de terre et de roches.

Immobile, la main en visière, elle le regarda travailler pendant que le chiot courait en cercle autour d'elle, aboyant à tout ce qui bougeait. Chaque fois que la pelle s'entrebâillait pour lâcher son chargement, le bouledogue se mettait à hurler. Maggie se pencha et lui gratta la tête entre les oreilles.

— N'aie pas peur, Tueur. Je ne le laisserai pas t'attraper.

— Je ne m'approcherais pas plus, si j'étais vous, déclara Cliff derrière son dos.

Elle tourna légèrement la tête et se redressa.

— Cela va plus vite que je ne pensais.

— Les plantes doivent être repiquées et le mur terminé avant les pluies. Voilà pourquoi nous nous dépêchons.

— Je vois.

Parce qu'il portait ses lunettes teintées et qu'elle ne pouvait croiser son regard, elle se détourna.

— Vous avez beaucoup d'employés, murmura-t-elle.

— Juste ce qu'il faut.

Il était trop près d'elle. Il aurait dû se tenir à l'écart. Dieu, comme elle l'attirait ! Elle ne ressemblait en rien à ce qu'il désirait, pourtant il la voulait. Jamais il n'aurait choisi une femme pareille, mais il l'avait distinguée. La toucher ! Cela devenait une obsession.

Maggie, elle aussi, était consciente du peu d'espace qui les séparait. Elle avait beau se dire qu'il ne fallait pas, elle le désirait. Maintenant, elle commençait à comprendre qu'on ait brusquement envie d'un homme croisé dans la rue. Au fond, c'était de la chimie, deux corps irrésistiblement attirés l'un par l'autre. Mais, à ce jour, cela ne lui était encore jamais arrivé. Elle eut soudain une vision de ce que serait une nuit dans ses bras et frissonna longuement.

— Je n'aime pas ce qui se passe ici, grommela-t-elle en se retournant à nouveau vers lui.

Il ne fit pas semblant de ne pas comprendre.

Ni lui ni elle ne pensaient au ravin ou aux travaux.

— Avez-vous le choix ?

Prudence. Il était trop différent des autres pour qu'elle se lance dans une aventure tête baissée.

— Je crois. Je me suis installée ici parce que je désirais y vivre et y travailler. Mais aussi parce que je voulais y être seule. Et j'ai bien l'intention de faire en sorte qu'il en soit ainsi.

Cliff la contempla un instant. Les engins s'étaient tus, c'était l'heure du déjeuner.

— J'ai pris ce chantier parce que je voulais travailler cette terre. Et je ferai tout pour qu'il en soit ainsi.

Comme elle faisait mine de s'éloigner, il posa la main sur son épaule.

— Je crois que nous nous comprenons parfaitement.

Maggie se tendit. Son cœur battait trop vite, son sang circulait un peu trop rapidement dans ses veines. L'air devint plus chaud.

— Je ne vois pas ce que vous voulez dire.

— Je crois que si...

Elle ne voyait que trop bien !

— Je ne sais rien de vous, parvint-elle à articuler.

Cliff prit une de ses mèches entre ses doigts.

— Je ne peux en dire autant.

Maggie s'enflamma.

— Ainsi, vous croyez à toutes les stupidités que racontent les feuilles à scandale !

Elle s'écarta d'un pas pour libérer sa chevelure.

— Je suis étonnée qu'un homme de votre classe soit aussi ignorant.

— Et moi qu'une femme de votre talent soit si écervelée.

— Que voulez-vous dire par là ?

— Je trouve un peu sot d'encourager ce genre de presse.

— Je n'ai jamais encouragé personne.

— Mais vous ne les avez pas découragés !

— Découragés ou encouragés, les journalistes ne... Oh, pourquoi me justifier ? Vous ne savez rien de cette vie. Et vous n'avez pas à en apprendre plus.

— Après la mort de votre mari, n'avez-vous pas donné une interview ?

Elle devint livide et il s'en voulut. Il n'avait pas le droit d'aborder un sujet aussi personnel.

— On racontait tant de mal sur nous... J'ai choisi un reporter en qui j'avais confiance et je lui ai dit la vérité, rien que la vérité, pour couper court à tous ces ragots. J'ai fait cela pour Jerry.

— Je suis désolé, murmura-t-il en posant une nouvelle fois la main sur son épaule.

Elle se dégagea d'un geste brusque.

— C'est sans importance.

Il la prit aux épaules et la força à faire face.

— Je déteste les coups bas, surtout lorsque c'est moi qui les donne.

— Ce n'est pas le premier que je reçois, rassurez-vous. Voulez-vous un bon conseil ? Ne jugez jamais ce que vous ne pouvez comprendre.

— Excusez-moi.

Cette fois, il ne l'empêcha pas de s'éloigner.

— Je ne suis pas très inspiré par les conseils, ajouta-t-il en souriant.

Ils se touchaient presque. Ce mélange de rage et de passion devenait trop évident pour être plus longtemps ignoré.

— Dans ce cas, nous n'avons plus rien à nous dire ! lui lança-t-elle.

— Vous vous trompez. Nous n'avons même pas commencé à parler de l'essentiel.

— Vous travaillez pour moi et...

— Je travaille pour moi.

Elle comprit sa fierté, ne l'en admira que plus. Mais l'admiration n'était pas suffisante pour l'obliger à retirer ses mains de ses épaules.

— Je vous paye pour ce travail.

— Vous payez une entreprise. C'est une affaire.

— Et ce sera la seule qu'il y aura jamais entre nous !

— Vous vous trompez une nouvelle fois.

Il la lâcha enfin.

Comme elle ouvrait la bouche pour lui assener une réplique cinglante, Tueur se mit à aboyer. Elle se retourna et l'aperçut qui s'agitait dans le fond du ravin. Le pauvre ! Il était si petit qu'il ne pouvait remonter. Sans plus réfléchir, elle y descendit.

La pente était très inclinée. Elle dut plusieurs fois poser la main sur le sol pour ne pas glisser.

— Tueur, viens ici !

Il avait cessé d'aboyer et creusait le sol près d'un tas de cailloux et de roches.

— Tu ne trouveras rien là-dedans, lui dit-elle en s'approchant. Allons, viens !

Tueur leva un instant la tête, puis se remit à la tâche sans plus s'occuper d'elle. Excédée, Maggie le prit sous le bras.

— Faites attention en remontant, lui cria Cliff de la crête.

— C'est cet idiot de chien, répondit-elle. Je me demande ce qui peut l'intéresser dans ce tas de détritus.

Furieuse, elle donna un coup de pied dans les cailloux, provoquant un petit éboulement.

— Remontez avant de vous faire du mal ! hurla Cliff.

Pour pouvoir gravir la pente plus facilement, Maggie posa la main sur une pierre. Curieux. Il y avait comme des trous dedans, et elle était bien légère.

Soudain, elle lâcha pierre et chien et se mit à hurler à pleine voix.

Cliff se précipita à son secours, pensant qu'elle avait vu un serpent. Elle agrippa le devant de sa chemise, les yeux hagards.

— Des os ! balbutia-t-elle. Mon Dieu !

Il regarda plus bas et vit ce que la machine et le chien avaient déterré.

Ce que Maggie avait pris pour une pierre était un crâne. Un peu plus loin, encore à moitié enfouis, les restes d'un squelette.

Chapitre 4

— Je vais mieux.

Maggie était assise devant la table de la cuisine, serrant entre ses mains le verre d'eau que lui avait donné Cliff. Lorsque ses doigts commencèrent à s'engourdir, elle lâcha légèrement prise.

— Je me suis conduite comme une sotte. Crier de la sorte...

Elle était toujours très pâle, nota-t-il. Ses yeux étaient agrandis par la terreur, trop grands pour son fin visage. Il passa doucement la main sur sa tête, se reprit, l'enfouit dans sa poche.

— Une réaction tout à fait naturelle.

— Sans doute.

Elle parvint à sourire. Elle avait froid mais s'efforça de ne pas frissonner en sa présence.

— C'est la première fois que je me trouve devant... ce genre de situation.

Cliff leva un sourcil.

— Moi aussi.

— Vraiment ?

Au fond, Maggie aurait préféré que ce soit déjà arrivé. Ce serait moins horrible, moins personnel. Elle fixa le sol, sans même voir le chien couché sur ses pieds.

— Ne vous arrive-t-il pas de déterrer des...

Elle hésita, ne sachant trop comment achever sa phrase.

— Des choses ? finit-elle par murmurer.

Elle lui jeta un regard implorant. Pourquoi ne pouvait-il lui fournir une explication ? Malheureusement, il ne savait que dire.

— Pas de cette sorte, grommela-t-il, gêné.

Ils se regardèrent un long moment sans parler, puis Maggie hocha la tête. Elle avait au moins appris une chose dans la difficile profession qu'elle avait choisie : prendre les événements comme ils venaient.

— Ainsi, nous n'avons pas d'explications plausibles. Je pense qu'il serait temps d'appeler la police.

Elle inspira puis expira lentement, dernier signe de faiblesse qu'elle montrerait dans cette affaire. Mais plus elle redevenait calme, plus Cliff se sentait nerveux. Sa défaillance faisait qu'il lui était difficile de rester objectif. Il fallait qu'il s'éloigne au plus vite d'elle.

— Téléphonez aux autorités, dit-il. Pendant ce temps je m'assurerai que mes hommes ne piétinent pas d'éventuels indices.

Elle répondit une nouvelle fois en hochant la tête. Arrivé à la porte, il hésita, puis se retourna.

— Vous êtes sûre que ça ira, Maggie ?

— Certaine, merci.

Lorsqu'il fut sorti, Maggie laissa tomber sa tête sur la table, entre ses bras croisés.

Mon Dieu, pourquoi fallait-il que ça lui arrive, et justement ici ? Les gens ne trouvaient pas de squelettes dans leur jardin. C.J. considérerait cela comme totalement barbare. Elle retint un rire hystérique et se leva. Il y avait un cadavre chez elle, et elle allait devoir s'en accommoder. Elle s'approcha du téléphone et appela l'opératrice.

— Passez-moi la police, s'il vous plaît.

Quelques minutes plus tard, Maggie sortit à son tour de la maison. Elle avait espéré que raconter sa petite histoire la calmerait, mais il n'en avait rien été. Elle ne s'approcha pas du ravin. Faisant le tour de la maison, elle s'assit sur un rocher. Le chiot s'allongea au soleil et s'endormit.

Comment une chose pareille pouvait-elle arriver dans un endroit aussi tranquille ? L'air était doux, le soleil chaud. Sa terre était accidentée, certes, mais elle dégageait une grande sérénité...

C'était d'ailleurs pour cela qu'elle l'avait choisie. Pour se protéger des pressions qu'elle avait subies toute sa vie. Cet endroit était-il le foyer dont elle avait rêvé depuis toujours ou n'était-ce qu'un refuge ? Maggie ferma les yeux. Pas un asile ! Ce serait se montrer faible. Pendant qu'elle tentait de mettre un peu d'ordre dans ses pensées, une ombre tomba sur elle. Ouvrant les yeux, Maggie aperçut Cliff qui l'observait.

Sa vue lui fit du bien, la rassura. Mais jamais elle n'admettrait devant lui qu'elle venait de douter.

— Ils ne vont pas tarder, l'informa-t-elle.

— Bien.

Ils restèrent un long moment silencieux, à regarder les arbres.

Finalement, Cliff s'accroupit. Maggie semblait beaucoup plus choquée maintenant que lorsqu'il l'avait portée dans la cuisine. La réaction, sans doute. Il eut envie de la serrer fort dans ses bras, comme tout à l'heure. Ce contact l'avait bouleversé, un peu comme sa musique.

Pourquoi n'avait-il pas refusé ce chantier ? Il aurait dû le faire le jour où il l'avait rencontrée pour la première fois. Il regarda par-dessus son épaule vers le ravin.

— Avez-vous parlé à Stan ?

— Stan ?

Il lui fallut quelques secondes pour comprendre.

— Oh, le shérif ?

Elle aurait voulu qu'il la touche. Presque rien, une main sur le bras.

— Non. J'ai appelé l'opératrice et elle m'a branchée sur la police de l'Etat.

— C'est probablement mieux ainsi, murmura-t-il. J'ai renvoyé mes hommes. C'est déjà assez compliqué comme ça.

Maggie regarda autour d'elle et nota pour la première fois que camions et ouvriers avaient disparu. La pelleteuse se trouvait maintenant à l'autre extrémité du ravin, immobile et silencieuce. Elle se sentit soudain très seule, presque abandonnée.

— Vous avez bien fait. Je téléphonerai à votre bureau lorsque la police décidera que les travaux peuvent recommencer.

Elle avait parlé d'un ton très professionnel, mais sa gorge était serrée. Un squelette et un chiot fou pour toute compagnie !

Cliff retira ses lunettes de soleil, plongea son regard dans le sien.

— C'est inutile. J'ai l'intention de rester ici encore un peu. Au cas où...

Maggie poussa un soupir de soulagement.

— Merci beaucoup. C'est stupide, mais...

Elle jeta un coup d'œil apeuré en direction du ravin.

— Ce n'est pas stupide.

— C'est en tout cas un signe de faiblesse.

— Pourquoi ? Je trouve cela très humain.

Son envie de la toucher fut la plus forte. Avançant la main, il prit la sienne. Au départ, ce geste avait pour but de la rassurer, mais il déclencha une réaction en chaîne difficile à maîtriser.

Maggie aurait dû se lever et s'éloigner. Il l'en empêcherait peut-être, ou la laisserait aller. Elle ne se posa pas la question de savoir ce qu'elle préférait. Immobile, elle se réchauffa à ce contact. Plus rien n'existait, plus rien n'avait d'importance.

Les yeux de Cliff s'assombrirent, jusqu'à n'être plus que deux puits d'ombre. On eût dit qu'il lisait en elle, déchiffrait ses pensées les plus intimes. Son souffle était court.

Ils s'avancèrent l'un vers l'autre. Leurs lèvres se joignirent.

Intensité. Elle n'aurait jamais cru qu'entre deux êtres il puisse passer de telles sensations. Même après des années, elle reconnaîtrait toujours cet homme au simple contact de ses lèvres. En un instant, cette bouche fut sienne. C'était dans l'ordre des choses. Il n'y eut pas de caresses, ce n'était pas nécessaire.

Tout était si différent avec Cliff. Il était autre, il ne ressemblait ni aux hommes qu'elle côtoyait ni surtout à celui avec qui elle avait partagé sa vie. Mais cela elle le savait depuis leur première rencontre, depuis qu'elle l'avait vu descendre de son camion. Et c'était mieux ainsi. Il ne fallait pas que ce qui se passait maintenant ressemble à ce qu'elle avait possédé et perdu.

Cliff ferma les yeux. Il était presque trop facile d'oublier à quel point elle était fragile, surtout lorsqu'elle répondait avec tant d'ardeur à son baiser. Il aurait dû savoir qu'il y avait des trésors de passion chez une femme capable d'écrire une telle musique. Mais comment croire qu'il réagirait si violemment, comme s'il l'avait attendue toute sa vie ?

Hors d'haleine, Maggie le dévisagea. Etait-il aussi ému qu'elle ? Ses pensées étaient-elles chaotiques, comme les siennes ? Son corps déchiré de désir ? Elle ne lut rien sur son visage. Maintenant il avait ouvert les yeux. Brusquement, les événements de la journée lui revinrent à l'esprit. Elle se leva d'un bond.

— Mon Dieu, que sommes-nous en train de faire ?

Elle passa une main tremblante dans ses cheveux.

— Comment pouvons-nous... avec cette chose, à deux pas, dans le ravin.

— Je ne vois pas le rapport, dit-il en se redressant et en la prenant aux épaules.

— Il n'y en a pas. Mais...

Maggie se laissa emporter par ses sentiments. Pendant de longues années, elle avait réussi à les dominer, mais il lui était maintenant impossible de les contrôler.

— Ce que nous avons découvert est horrible,

vraiment horrible, pourtant, je me demandais à l'instant comment ce serait de faire l'amour avec vous.

Il y eut un éclair dans son regard, vite étouffé. Contrairement à Maggie, Cliff avait appris depuis longtemps à dissimuler ses sentiments, à les combattre au besoin.

— On ne pourra jamais vous accuser, en tout cas, de cacher ce que vous ressentez.

— Les cachotteries demandent trop d'effort et de temps.

Elle laissa échapper un long soupir et parvint à reprendre le ton de la conversation.

— Je ne m'attendais pas plus que vous à cette sorte... d'éruption. Cela tient probablement à l'état de mes nerfs. Ce que nous venons de vivre...

Parce qu'elle semblait avoir retrouvé son calme, il eut envie de la provoquer. Lentement, il passa la main sur son visage encore tiède de désir.

— Je vous aurais crue plus... Pour moi, vous êtes de ces femmes qui savent ce qu'elles veulent et comment se le procurer.

Maggie s'enflamma aussitôt. Pour couvrir sa gêne, elle repoussa durement ses doigts.

— Cessez! Je vous ai déjà dit que vous ne saviez rien de moi. Et plus je vous connais plus je suis certaine que c'est aussi bien. Vous êtes très attirant, Cliff, mais peu sympathique. Je me tiens toujours à l'écart de ceux de votre espèce.

Cliff s'étonna. D'habitude, il ne se donnait pas la peine de discuter d'un malentendu. Il était en train de changer.

— Dans une petite communauté comme la nôtre, il est difficile de se tenir à l'écart.

— Je ferai donc un effort.

— C'est pratiquement impossible.

Maggie dut prendre sur elle pour ne pas sourire.

— J'ai beaucoup de volonté.

Il remit ses lunettes sur son nez et grimaça un sourire.

— Croyez bien que j'en suis persuadé.

— Essayez-vous de vous montrer intelligent ou charmant ?

— Je n'ai pas besoin d'essayer. Je suis l'un et l'autre.

— Quelle modestie !

Pour cacher son amusement, Maggie se retourna brusquement, et se trouva face au ravin. Elle frissonna.

— Je n'arrive pas à y croire, souffla-t-elle. Comment pouvons-nous avoir cette conversation ridicule alors qu'il y a... ?

Le mot cadavre lui resta en travers de la gorge et elle s'en voulut de sa lâcheté.

— Décidément, le monde devient fou.

Il ne fallait surtout pas qu'elle se remette à trembler contre lui, se dit-il. C'était lorsqu'elle était vulnérable qu'elle devenait vraiment dangereuse.

— Ce qu'il y a dans le ravin s'y trouve sans doute depuis de longues années. Cela n'a rien à voir avec vous.

— C'est ma terre, répliqua Maggie. Cela a tout à voir avec moi.

— Dans ce cas, vous feriez bien d'arrêter de trembler chaque fois que vous en parlez.

— Je ne tremble pas !

Elle tenait ses bras serrés contre son corps.

Cliff la força à écarter une main, pour bien lui montrer qu'elle était agitée de tremblements. Maggie se dégagea vivement, furieuse.

— Lorsque je désirerai être touchée, je vous en informerai.

— C'est déjà fait.

Avant qu'elle ait le temps de trouver une réponse appropriée, le chiot se redressa et se mit à aboyer. Quelques secondes plus tard, ils entendirent une voiture approcher.

— Il fera peut-être un chien de garde convenable, remarqua Cliff.

Tueur, après avoir couru en rond, alla se dissimuler derrière un rocher.

— D'un autre côté...

Après avoir caressé le chien, il alla à la rencontre des officiels, suivi de Maggie. C'était sa terre, son squelette, son problème ! C'était elle qui parlerait.

Un policier descendit de la voiture, ajusta son chapeau puis sourit.

— Cliff ! Je ne m'attendais pas à te trouver ici.

— Salut, Bob. C'est ma compagnie qui s'occupe des travaux.

— L'ancienne propriété Morgan...

Le policier regarda autour de lui avec intérêt.

— Il y a longtemps que je n'y étais venu. Tu as déterré quelque chose dont nous devrions avoir connaissance ?

— On dirait.

— C'est la propriété Fitzgerald, maintenant, intervint Maggie.

L'homme toucha son chapeau, se retourna et resta bouche bée.

— Mais vous êtes Maggie Fitzgerald !

— En personne.

Si Cliff n'avait été là, elle aurait souri à tant d'enthousiasme, mais sa présence la gênait.

— Eh bien, ça alors ! Vous êtes exactement comme sur les photos des magazines. Savez-vous que je connais toutes vos chansons par cœur ? Vous avez acheté la maison Morgan ?

— En effet.

Il renversa son chapeau sur sa nuque.

— Quand je vais raconter ça à ma femme... C'est un de vos airs qu'on a joué à notre mariage. « Pour toujours ». Tu t'en souviens, Cliff ? C'était mon garçon d'honneur, Miss Fitzgerald.

— Vraiment ?

— Quand tu auras fini de faire le joli-cœur, grommela Cliff, tu t'intéresseras peut-être à ce qu'il y a dans le ravin.

Bob sourit.

— C'est pour ça que je suis là, vieux.

Ils s'avancèrent tous trois vers le bord du ravin.

— Vous savez, Miss, il est quelquefois difficile de distinguer du premier coup d'œil des restes humains d'ossements d'animaux. Vous avez peut-être trouvé ceux d'un daim.

Maggie regarda Cliff. Elle sentait encore la forme du crâne dans le creux de sa main.

— Si vous saviez combien j'aimerais qu'il en soit ainsi !

— C'est par là, dit Cliff à l'adresse de Bob. Fais attention, la pente est raide.

Comme Maggie s'avançait, il lui prit le bras.

— Pourquoi ne pas attendre ici ?

Cela aurait été trop facile.

— C'est ma terre, répéta-t-elle encore une fois.

Elle les précéda jusqu'à l'emplacement de sa sinistre découverte.

— Le chien creusait par là, expliqua-t-elle au policier. Je suis descendue pour l'obliger à remonter et j'ai vu...

Elle fit un geste de la main.

Bob se pencha et poussa un petit sifflement.

— Bon Dieu ! Non, ce n'est pas un daim.

— Non, ajouta Cliff en venant se placer entre Maggie et les ossements. Et maintenant, que vas-tu faire ?

Bob se redressa. Il ne souriait plus.

— Je vais contacter la criminelle.

Maggie le suivit jusqu'à sa voiture et l'entendit faire son rapport par radio. Lorsque ce fut terminé, elle parla la première, mais surtout pas de ce qui se trouvait au fond de la ravine...

— Ainsi, vous vous connaissez...

— Bob et moi étions à l'école ensemble, répondit Cliff en suivant le vol d'un gros corbeau au-dessus des arbres.

Il se souvenait encore du regard de Maggie lorsqu'elle avait commencé à crier.

— Il a fini par se marier avec une de mes cousines, il y a deux ans.

Ils firent quelques pas, laissant Bob près du véhicule.

— Vous avez beaucoup de cousins ?

— Pas mal, oui.

— Des Morgan ?

— Quelques-uns. Pourquoi ?

— Je me demandais si c'était pour cela que vous m'en vouliez d'avoir acheté cette propriété.

— Non.

— Mais vous m'en vouliez, avant même de me connaître.

Il lui en voulait encore plus depuis qu'il avait goûté à ses lèvres. Mais il ne l'avoua pas.

— Joyce a le droit de vendre ses biens quand elle le désire et à qui elle veut.

— C'est aussi une cousine ?

— Où voulez-vous en venir ?

— Mais à rien. J'essaye de comprendre une petite ville. Après tout, je vais y vivre et...

— Et vous feriez bien de vous rappeler que les gens n'aiment pas les questions.

Maggie hocha la tête en souriant.

— Je tâcherai de m'en souvenir.

Elle avait réussi à le mettre mal à l'aise et n'en était pas peu fière. Elle se tourna vers le policier qui approchait.

— Ils envoient une équipe, leur annonça-t-il.

Son regard alla de l'un à l'autre, puis au ravin.

— Ils seront ici dans peu de temps pour ramasser tout ce qu'ils pourront trouver en bas.

— Et ensuite ?

Bob se tourna vers Maggie et sourit.

— Excellente question. Pour vous dire la vérité, c'est la première fois que je me trouve devant une situation pareille. Mais je pense qu'ils vont expédier les restes au labo, à Baltimore. Ensuite, il y aura une enquête.

— Une enquête ? Pourquoi ?

— Voyons, Miss, réfléchissez. Il n'est pas normal qu'on trouve un squelette enterré dans ce ravin, à moins...

— Que quelqu'un ne l'y ait mis volontairement, déclara Cliff d'une voix sombre.

Maggie frissonna.

— Je crois que nous avons tous besoin de café, murmura-t-elle.

Sans attendre de réponse, elle s'éloigna vers la maison. Bob retira son chapeau et s'en servit pour s'éventer.

— Intéressant, murmura-t-il.

— Qui ? demanda Cliff. Elle ou lui ?

Du pouce il désignait le squelette.

— Les deux, admit Bob. Qu'est-ce qu'une fille aussi célèbre peut bien faire dans ce trou perdu au milieu des bois ?

— Elle aime peut-être les arbres.

— En tout cas, j'ai l'impression qu'elle doit commencer à regretter cet achat. Bon Dieu, Cliff, nous n'avons pas eu de crime dans la région depuis cette histoire d'incendiaire.

— Et tu t'en plains ?

— Que veux-tu, j'aime l'action. Dis donc, elle est jolie notre compositeur, non ?

— Comment va Carol Ann ?

Au nom de sa femme, Bob fit la grimace.

— Je ne fais que regarder, mon vieux. Un homme qui ne compare pas devrait vite aller consulter son docteur. Tu ne vas pas me dire que tu n'avais pas remarqué à quel point cette fille est belle.

— Je m'en étais aperçu.

Il fixa le rocher sur lequel Maggie était assise avant qu'ils s'embrassent.

— Mais son jardin me passionne bien plus.

Bob éclata de rire.

— Dans ce cas, tu as bien changé. Te souviens-tu, lorsque nous venions ici avec ces deux jumelles blondes ? Ta vieille Chevrolet a perdu son pare-chocs dans ce virage, là-bas.

— Je me rappelle.

— Nous avons alors fait quelques très intéressantes promenades dans les bois, évoqua Bob. C'était les deux plus jolies filles du lycée. Leurs parents avaient même loué un temps cette maison.

— Qui y a vécu, ensuite ?

— Un vieux couple, les Faraday. Ils sont restés ici très longtemps, jusqu'à ce que le vieux meure et qu'elle aille vivre chez ses enfants.

— C'était deux mois avant que Morgan ne tombe du pont. Depuis, personne n'a plus habité la maison.

Bob haussa les épaules.

— Il y a au moins dix ans de ça.

— Dix ans. C'est bien long.

Un bruit de moteur les fit se retourner. Bob remit son chapeau.

— La criminelle. Ils vont s'occuper de tout, maintenant.

Maggie suivit les opérations du porche. Si les policiers avaient besoin d'elle, ils viendraient certainement la chercher. Ils semblaient connaître leur métier. Dans le ravin, elle ne ferait que les déranger.

Elle les vit ramasser d'abord les ossements, puis tamiser la terre alentour et récupérer un tas de débris. Une fois ces restes ailleurs, elle cesserait d'y penser. Enfin, mieux valait le croire. Ce qu'on entassait maintenant dans des sacs de plastique avait été un homme ou une femme, avec des sentiments, des désirs. Non, impossible d'oublier.

Elle voulait savoir. Qui était-ce ? De quoi cette

personne était-elle morte ? Pourquoi l'avait-on enterrée ici ?

Un policier se détacha du groupe et s'avança vers elle. Maggie alla à sa rencontre.

— Bonjour, Miss. Je suis le lieutenant Reiker.

Il ressemblait à un comptable, et Maggie se demanda s'il portait un pistolet sous sa veste.

— Bonjour, lieutenant.

— Nous venons de finir. Je suis désolé pour tous les ennuis que nous vous avons causés.

— Ce n'est rien, balbutia-t-elle, commençant à regretter de ne pas être restée cloîtrée chez elle.

— J'ai le rapport de Bob, mais j'aimerais entendre de votre bouche les circonstances de votre découverte.

Maggie frissonna. Une nouvelle fois, elle raconta l'histoire du chiot en train de creuser la terre.

— Vous venez d'acheter cet endroit ?

— Oui. Je ne suis ici que depuis quelques semaines.

— Et vous avez engagé Delaney pour refaire le jardin.

— Il m'a été chaudement recommandé par un homme que j'emploie à différents travaux.

— Hum !

Il consulta des notes sur son carnet.

— Delaney m'a dit que vous désiriez qu'il crée un étang ou une pièce d'eau au fond du ravin. C'est exact ?

— Tout à fait.

— C'est en effet l'emplacement idéal. Mais il vous faudra interrompre les travaux pour un temps. Nous serons peut-être obligés de revenir pour fouiller encore.

Maggie serra sa tasse de café vide.

— Comme il vous plaira.

— Nous allons clore la zone.

Devant son regard étonné, il précisa :

— Avec du grillage de poulailler, pour empêcher votre chien ou tout autre animal d'y aller.

Et probablement les gens, pensa-t-elle. Il n'était pas besoin d'être devin pour comprendre le lieutenant à demi-mot. Avant la fin de la journée, la nouvelle aurait fait le tour du comté. Certainement le plus grand événement depuis la déclaration de guerre au Japon.

— Faites tout ce qui vous semblera nécessaire, lieutenant.

— Merci, Miss Fitzgerald.

Voyant qu'il ne bougeait pas et regardait le sol d'un air gêné, elle le questionna.

— Puis-je vous être encore utile ?

— Voilà, je sais que ce n'est pas le moment...

Il lui tendit son carnet.

— Pourriez-vous me donner un autographe ? J'ai toujours beaucoup admiré votre mère et je connais toutes vos chansons.

Maggie sourit. Mieux valait en rire. Quelle journée ! Elle prit le bloc et le crayon.

— Voulez-vous que j'ajoute un petit mot ?

— Vous feriez ça ? Eh bien, mettez.... Je ne sais pas moi... A mon ami Harvey.

Au moment où elle allait s'exécuter, elle croisa le regard de Cliff et le vit sourire. Il y avait comme de la dérision dans ses yeux.

— Voilà, dit-elle en rendant le carnet au policier. J'aimerais que vous me teniez au courant de la marche de l'enquête.

— Dès que je recevrai les résultats du labo,

Miss Fitzgerald. Merci encore pour votre patience, et pour ceci.

Il agita son carnet avant de s'éloigner. Maggie, ignorant Cliff qui continuait à la regarder, alla s'enfermer dans la maison. Quelques instants plus tard, Cliff entendit de la musique qui s'échappait par les fenêtres.

Les enquêteurs allaient partir. Dans quelques minutes Maggie se retrouverait seule. La musique qui parvenait jusqu'à lui était tendue, désespérée. Jurant à voix basse, il remit les clefs du camion dans sa poche et s'avança vers la maison.

Maggie ne répondit pas au coup qu'il frappa. Sans même réfléchir, Cliff poussa la porte d'entrée. Il s'approcha de la salle de musique et contempla Maggie du seuil.

Pourquoi vouloir à tout prix la consoler ? En avait-elle seulement besoin ? N'était-ce pas plutôt lui qui... Non ! Il était de son devoir de s'assurer qu'elle allait bien. Après tout, ne s'occupait-il pas des oisillons tombés de leur nid, des bêtes blessées ? A qui voulait-il faire croire qu'elle ne l'intéressait pas ? Il attendit patiemment qu'elle termine.

Maggie l'aperçut soudain et sursauta.

— Je vous croyais parti.

— Non. Mais les autres s'en sont allés.

Voyant qu'il se taisait, elle insista.

— Vous aviez quelque chose à me demander ?

— Oui. J'ai des envies de steak.

— Pardon ?

— Je n'ai pas encore mangé.

— Je suis désolée, mais je n'en ai pas sous la main.

— Il y a un endroit, à environ quinze kilomètres de la ville...

Il lui prit le bras et l'aida à se lever.

— J'ai l'impression qu'ils doivent mieux savoir faire cuire la viande que vous.

Maggie se dégagea d'un geste lent et fit face.

— Nous sortons pour dîner ?

— Oui.

— Pourquoi ?

Il lui reprit le bras. Il s'était posé la même question et avait déjà refusé d'y répondre.

— Parce que j'ai faim, se contenta-t-il de dire.

Maggie faillit refuser. Puis elle se rendit compte qu'elle mourait d'envie de s'éloigner un peu de la maison, du ravin, surtout. Finalement, elle se retrouverait seule, autant que ce soit le plus tard possible.

Ils se regardèrent, se comprirent et sortirent ensemble, sans éprouver le besoin de s'expliquer.

Chapitre 5

Maggie passa le jour suivant à travailler sur la partition de la chanson du générique. Pour y parvenir, elle tenta d'oublier tout ce qui était arrivé la veille. Ce qui avait été enterré et déterré dans le ravin, l'intervention de la police ou les examens de laboratoire.

De la même façon, elle se refusa à penser à Cliff, à ce baiser sauvage qu'ils avaient échangé, au dîner trop civilisé qu'ils avaient partagé. Il était difficile d'imaginer que ces deux expériences s'étaient déroulées avec le même homme.

Aujourd'hui, elle était Maggie Fitzgerald, auteur-compositeur. Si elle ne se préoccupait que de cela, n'était que ça, elle arriverait peut-être à se persuader que les événements de la veille concernaient une autre personne.

Dehors, il y avait des hommes qui travaillaient. Ils plantaient des buissons, répandaient du terreau, poursuivaient le débroussaillage. Derrière la maison, le mur de retenue était en bonne voie d'achèvement.

Rien de tout cela ne la regardait. La partition

devait être complétée, c'était son seul souci. Quelles que soient les conditions extérieures, il fallait que son travail progresse. Elle avait vu un jour son père diriger un film avec la moitié de l'équipement nécessaire et après une dispute avec la vedette ; cela lui avait servi de leçon. Voir sa mère donner un récital atteinte d'une grosse fièvre en avait été une autre. Si sa vie s'était déroulée longtemps dans un monde factice, Maggie y avait appris au moins une chose : la responsabilité.

Elle finirait cette chanson, quoi qu'il arrive, et aurait même la coquetterie de proposer à C.J. un ou deux titres qu'elle ajouterait en fin de bande.

Pourvu que C.J. n'apprenne pas ce qu'on avait découvert dans la ravine. Il n'y aurait pas assez de calmants dans tout Los Angeles pour l'apaiser. Pauvre homme qui s'inquiétait parce que le toit risquait de lui tomber sur la tête ! D'une certaine façon, c'était un peu ce qui était arrivé... S'il découvrait qu'une horde de policiers fouillait la propriété en emplissant des sacs de plastique, il sauterait dans le premier avion et la forcerait à rentrer à Los Angeles.

Cliff l'aurait-il entraînée de force si elle avait refusé de dîner avec lui ? Il en était bien capable. Il avait été un compagnon très agréable, attentif, aimable. Comment, après cela, s'imaginer qu'il puisse lui déplaire ?

Ils n'avaient pas parlé de la macabre découverte, ni de travail, mais avaient bavardé tranquillement. Maggie était d'ailleurs incapable de se souvenir de quoi.

Elle jura et effaça les cinq dernières notes sur la portée. C.J. n'apprécierait pas qu'elle mélange la basse et le ténor. Pourquoi n'arrivait-elle pas à faire le vide dans sa tête ? Ce baiser, par un bel après-midi ensoleillé... La meilleure chose à faire serait de reprendre la chanson du début.

Un coup frappé à la porte la fit sursauter. Qui avait parlé du calme de la campagne ? Depuis la veille, Maggie avait l'impression de vivre dans un hall de gare.

Le pistolet accroché à la ceinture du visiteur lui fit peur. L'homme portait un petit badge sur sa chemise kaki. Le shérif. Elle le dévisagea et sourit. Il était blond, bronzé, beau garçon, avec des yeux bleus et une bouche rieuse. Un shérif plus vrai que nature, un vrai héros de western.

— Miss Fitzgerald ?

Une blague de C.J. ? Non, le pistolet paraissait bien réel.

— Oui.

— Je suis le shérif Agee. J'espère que je ne vous dérange pas.

— Pas du tout.

Mon Dieu, qu'il était difficile d'être polie. Il y avait trop de policiers dans ce coin soi-disant tranquille.

— J'aimerais vous parler quelques minutes. Puis-je entrer ?

Maggie eut envie de lui claquer la porte au nez et de se remettre au travail, mais elle n'osa pas. « Lâche », se dit-elle en s'effaçant pour le laisser passer.

— Je suppose que vous êtes ici à cause de la découverte d'hier. Je ne sais si je vous serai très utile...

— Ça n'a pas dû être une expérience bien

agréable, Miss Fitzgerald, et vous aurez certainement du mal à l'oublier.

Le ton de sa voix était un mélange de professionnalisme et de sympathie. Maggie décida qu'il devait connaître son métier.

— C'est plus en tant que voisin que je suis passé vous voir.

Maggie apprécia son sourire franc.

— Voulez-vous un peu de café ? La cuisine est en désordre, mais si vous n'êtes pas trop maniaque...

— Je ne refuse jamais une tasse de café.

— C'est par ici. Mais vous devez mieux connaître la maison que moi.

— A vrai dire, non. Les Morgan ont déménagé lorsque Joyce n'était qu'une gamine.

— C'est ce qu'elle m'a raconté.

— Il y a plus de dix ans que la propriété est inoccupée. Louella s'en est désintéressée après la mort du vieux Morgan.

Il leva les yeux vers le plafond où la peinture s'écaillait.

— Joyce en a hérité à vingt-cinq ans. On vous a probablement déjà dit que je ne voulais pas qu'elle vende.

— Eh bien...

— J'avais dans l'idée de tout remettre en ordre et de louer de nouveau.

C'était un homme qui devait beaucoup rêver mais n'avait pas le temps de mettre ses projets en pratique.

— Mais une aussi grande maison demande beaucoup de temps et d'argent. Joyce a sans doute eu raison de s'en débarrasser.

— Je suis très heureuse qu'elle se soit décidée.

Maggie lui désigna une chaise de la main et emplit sa tasse.

— Avec Bog pour la maison et Delaney pour l'extérieur, vous ne pouviez mieux choisir.

Devant son regard surpris, il se mit à rire.

— Les nouvelles vont vite dans les petites villes.

— C'est ce que je vois.

— Comme pour ce que vous avez trouvé hier... Joyce en était toute retournée. Bien des gens, après une telle découverte, mettraient la clef sous le paillasson.

— Je ne m'en irai pas, déclara Maggie d'un ton ferme.

— Vous m'en voyez très heureux.

Il la fixa un moment en silence.

— On m'a dit que Cliff était là, hier.

— C'est exact. Il était passé pour vérifier l'état des travaux.

— Et votre chien a déterré...

— Oui.

Maggie se laissa tomber sur une chaise.

— Ce n'est qu'un chiot. En ce moment, il dort dans ma chambre.

— Je ne suis pas venu vous arracher de nouveaux détails, Miss. La criminelle m'a mis au courant. Je suis ici pour que vous sachiez que si vous avez le moindre problème je serai à votre disposition.

— Je vous remercie. Je ne suis pas très familiarisée avec la procédure. Je suppose que j'aurais dû d'abord vous appeler, hier.

Il haussa les épaules.

— Vous vous trouvez dans les limites de ma juridiction, mais avec cette découverte... Il aurait fallu que la police d'Etat s'en occupe, de toute façon.

Il portait une grosse alliance d'or jaune, bien solide. Joyce avait la même, se souvint Maggie.

— Je vois que vous refaites votre sol.

— Oui. J'ai retiré le vieux linoléum. Maintenant, il va falloir polir le carrelage.

— Appelez de ma part George Cooper, dit le shérif, il est dans l'annuaire. Il vous louera une ponceuse électrique.

— Merci, je suivrai votre conseil.

Curieusement, et bien qu'il soit très différent de sa femme et de sa belle-mère, Maggie n'arrivait pas à se sentir à l'aise avec lui.

— Si vous avez besoin de la moindre chose, n'hésitez pas à me téléphoner. Joyce aimerait vous inviter à dîner un de ces soirs. C'est le meilleur cordon-bleu du comté.

— C'est très gentil à elle.

— Elle ne s'est pas encore remise de votre arrivée à Morganville.

Il but une gorgée de café et reposa lentement sa tasse sur la table. Plus il paraissait détendu, plus Maggie se sentait contractée.

— Je ne m'y connais pas trop en musique, mais Joyce connaît toutes vos chansons. A l'idée que quelqu'un dont le nom figure dans les magazines vive dans sa maison...

Il jeta un coup d'œil à la porte de service.

— Vous devriez dire à Bog de poser des serrures plus sérieuses.

— Pourquoi ?

Le shérif éclata de rire et finit son café.

— Voilà ce que c'est d'être shérif ! On pense sans arrêt à la sécurité. Le comté est calme, Miss

Fitzgerald, et je ne voudrais pas vous alarmer, mais j'aimerais mieux que vous fassiez installer quelques bonnes serrures et chaînes de sûreté. Après tout, vous êtes très isolée, et...

Il se leva, tapota machinalement son pistolet, comme pour s'assurer qu'il était toujours là.

— Merci pour le café... N'oubliez pas de m'appeler en cas de besoin.

— Je n'y manquerai pas.

— Inutile de m'accompagner, je connais le chemin. Et téléphonez à George Cooper.

Maggie le suivit jusqu'à la porte.

— Merci, shérif.

Elle resta un moment sur le seuil, la tête appuyée contre le montant de la porte. Pourquoi cette impression de malaise ? Le shérif était passé pour la rassurer, pour lui montrer que la communauté dans laquelle elle avait choisi de vivre se sentait concernée et possédait un officier de police efficace. Maggie comprit soudain pourquoi ses nerfs étaient à vif. Trop de police. Tous ces fonctionnaires, toutes ces questions. Et dire qu'elle croyait que cela était mort avec son passé...

— *Votre mari est sorti de la route, madame Browning. Nous n'avons pas encore retrouvé son corps, mais nous faisons le maximum. Je suis désolé.*

Au début, ils avaient tous été très gentils. La police, ses amis, ceux de Jerry. Puis il y avait eu les questions.

— *Votre mari était-il ivre en quittant la maison ? Etait-il énervé, furieux ? Vous étiez-vous disputés ?*

N'était-ce pas suffisant qu'il soit mort ? Pourquoi en chercher la raison ? Il devait y en avoir des centaines. Un homme ne précipitait pas sa voiture du haut d'une falaise par plaisir !

Oui, il buvait. Oui, il était ivre. Il l'était en permanence depuis que sa carrière déclinait et que celle de Maggie suivait la pente ascendante. Oui, ils s'étaient disputés. Parce qu'ils ne comprenaient pas ce qu'étaient devenus leurs beaux rêves. Maggie avait répondu aux questions, avait subi les assauts de la presse, jusqu'à en devenir folle.

Elle ferma les yeux. C'était fini. Elle ne pouvait ressusciter Jerry et résoudre ses problèmes. Il avait choisi une solution définitive. Elle entra et se dirigea vers la salle de musique.

C'était dans son travail qu'elle trouvait l'apaisement. Il en avait toujours été ainsi. Elle pouvait se réfugier dans la musique. Mais pour cela, il fallait de la sérénité et beaucoup de discipline. Le talent ne suffisait pas. Jerry en avait fait la triste expérience.

Le temps passa. Maggie s'absorba dans sa composition. Cette chanson devait être passionnée, agitée, frissonnante de sexualité. Il fallait qu'elle remue l'auditeur, enflamme ses désirs.

Aucun chanteur n'ayant encore été engagé, elle pouvait laisser libre cours à son imagination, s'offrir le luxe d'en choisir le style. Provocant et sensuel. Avec beaucoup de basses et quelques cuivres. La nuit précédente, incapable de dormir, elle avait écrit quelques portées. Maintenant elle les retravaillait, paroles et musique.

Elle trouva presque aussitôt l'idée force. Une passion inexpliquée, incontrôlable. Un désir primitif qui faisait de deux êtres civilisés... Comme hier, au soleil, avec Cliff.

Un désir fou, semblable à celui de la veille. Elle ferma les yeux et fut submergée par la mélodie. N'avait-elle pas ressenti ce désir, cette passion, ce besoin lorsque leurs lèvres s'étaient jointes ? N'avait-elle pas rêvé de sa peau nue, de nuits noires, sans lune, étouffantes ? Cœurs battants. Désir... Folie...

Lorsqu'elle reposa son crayon, après avoir fait défiler une dernière fois la bande magnétique, Maggie se sentit vidée, épuisée. Levant les yeux, elle aperçut Cliff sur le pas de la porte.

Son sang se figea. Avait-il répondu à quelque appel muet ?

Quand elle parla, pourtant, ce fut d'une voix très calme.

— Entre-t-on toujours chez les gens comme dans un moulin, à la campagne ?

— J'ai frappé. Mais lorsque vous travaillez, vous semblez atteinte de surdité.

— C'est sans doute parce que je n'ai pas envie d'être dérangée.

— Peut-être, répondit-il sans se démonter.

Il eut presque envie de rire. Même s'il l'avait gênée, ce n'était rien comparé au trouble qu'avait fait naître cette chanson en lui. Il s'avança de quelques pas, heureux de reconnaître son parfum.

— J'ai déjà perdu beaucoup de temps, hier, lui fit-elle remarquer.

Cliff ne répondit pas. Il fixa ses mains. Il aurait tant voulu qu'elles courent sur son corps comme elles venaient de glisser sur les touches. Son regard remonta le long de ses bras, contourna ses épaules, s'arrêta sur son visage. Pour tous deux, c'était comme s'il l'avait touchée.

— D'après ce que j'ai entendu, vous venez d'achever votre chanson.

— C'est à moi d'en décider.

— Voulez-vous me la faire entendre à nouveau ?

Il y avait un ton de défi dans sa voix. Maggie hésita un court instant et le vit sourire. Dieu, que tout ceci était dangereux ! Nerveuse, elle mit le magnétophone en marche. Après tout, cette mélodie n'était qu'un jeu de l'esprit, l'ornement d'une fiction. Pourquoi s'inquiéter ? Il suffisait d'écouter sa propre voix en professionnelle, pas en femme. Facile à dire ! Si la chanson était si réussie, c'est qu'elle y avait mis beaucoup d'elle-même, trop peut-être. Elle se leva et alla se planter devant la fenêtre.

Quand sa voix se tut, Cliff s'approcha d'elle et la vit se raidir. Avant qu'il arrive à sa hauteur, elle se retourna. Le soleil, derrière son dos, lui faisait comme une auréole. Par contraste, ses yeux étaient très sombres. Comme sa mélodie. Les paroles de la chanson emplissaient encore la pièce.

Cliff ne dit rien mais posa une main sur sa nuque. Maggie ne dit rien mais se tendit. Il y avait de la colère dans ses yeux, contre lui, et aussi contre elle. Si elle se trouvait dans cette situation, c'était parce qu'elle avait laissé courir son imagination, avait prêté une oreille complaisante à ses désirs. Ce n'était pas de folie qu'elle avait besoin, mais de stabilité.

Elle recula. La pression sur sa nuque se fit plus forte. Cliff avait oublié les règles d'une séduction civilisée, comme il avait oublié qu'il n'était passé que pour prendre de ses nouvelles. Cette musique, ces paroles...

Il s'approcha plus près encore. Lorsqu'elle leva une main pour le repousser, il s'empara de son poignet. Le pouls de Maggie battait au même rythme que sa musique. Il prit ses lèvres.

Maggie frissonna de plaisir. Le monde n'était plus que cet instant, éternel.

Cliff, quant à lui, avait perdu la capacité de raisonner. Il glissa une main sous son chemisier et caressa enfin sa peau, rêve trop longtemps inassouvi. Maggie se colla à lui, offerte. Contre sa bouche il sentit ses lèvres prononcer son nom. Une passion sauvage le submergea.

Il la serrait trop fort et s'en rendait compte. Mais il ne s'appartenait plus. Son baiser se fit brutal, comme s'il avait craint de ne jamais être satisfait. Il voulait plus, beaucoup plus...

« Il va me rendre folle », songea Maggie. Jamais personne n'avait fait montre d'un tel désir pour elle. Elle allait s'y consumer. Ils s'anéantiraient tous deux. Maggie aussi voulait plus. Mais après ?

— Non. Tout ceci est fou !

Cliff leva la tête. Ses yeux étaient presque noirs, son souffle court. Pour la première fois, Maggie se sentit effrayée. Que savait-elle de cet homme ?

— Oui, c'est de la folie.

— Nous n'en avons pas besoin, pourtant.

— Exact.

Dans quelques instants, il ne pourrait plus se contrôler et le savait. Il passa délibérément la main dans ses cheveux.

— Nous sommes allés trop loin pour nous arrêter. Je vous désire, Maggie...

S'il ne l'avait appelée par son prénom... Jusqu'à cet instant elle n'avait pas compris que l'entendre prononcer son nom la rendait si faible. Un désir intense l'envahit de nouveau et elle baissa la tête. Ce simple geste eut le don d'éclaircir les pensées de Cliff. Le désir passa alors au second plan.

Ne plus jamais être libre ! Il en frémit. Pourtant, l'envie était si forte. Il ferait tout pour la posséder. Ce qui ne voulait pas dire qu'il tomberait en son pouvoir. Au fond, tous deux savaient que ce qui se passait entre eux devait aller jusqu'au bout.

Son désir pour elle ne l'inquiétait pas. En revanche, la tendresse qu'il éprouvait pour Maggie lui faisait peur. Mieux valait reculer pendant qu'il était encore temps. A moins qu'ils ne réussissent à assouvir leur passion sans s'impliquer.

— Nous nous désirons l'un l'autre.

Comme cela semblait simple lorsqu'il en parlait.

— C'est vrai. Mais je suis certaine que vous avez appris, comme moi, qu'on ne peut toujours avoir ce qu'on désire.

— Je le sais. Cependant, pour cette fois, je ne vois pas ce qui nous en empêcherait.

— Mille raisons. D'abord, nous ne nous connaissons pas.

Il fronça les sourcils et étudia son visage.

— Cela a de l'importance pour vous ?

Elle se dégagea brusquement.

— Finalement, vous croyez ce qu'écrivent les

journaux, constata-t-elle, amère. Los Angeles, ville de luxure, peuplée de pécheresses et pécheurs impénitents, lieu de perdition. Je vais bien vous décevoir, Cliff. Ma vie n'a pas été remplie d'amants sans visage ou sans nom. C'est ceci ma vie !

Elle frappa si fort sur le piano, du plat de la main, que le papier à musique glissa sur le sol.

— Et puisque vous lisez tant, savez tellement de choses sur moi, vous devez vous souvenir que j'ai été mariée. Et fidèle pendant six ans.

— Ma question n'avait rien à voir avec cela.

Sa voix était si calme qu'elle se contracta. C'était lorsque Cliff parlait doucement que Maggie se méfiait le plus de lui.

— Elle était plus personnelle, ajouta-t-il.

— Il y a une règle à laquelle je ne déroge jamais. Ne pas me précipiter dans le lit d'un monsieur que je ne connais pas, même s'il s'agit de vous.

Il posa la main sur la sienne.

— Que faut-il faire pour mieux vous connaître ?

— Qui vous dit que j'en aie envie ? Une autre règle d'or. Rester à l'écart des gens qui n'aiment pas ce que je suis et ce que je représente.

— Je ne sais pas qui vous êtes, c'est vrai, mais je trouverai.

— Pour cela, il faudrait que je sois d'accord, non ?

Il sourit, amusé.

— Nous verrons.

Maggie lui adressa un regard furibond.

— Maintenant, partez. J'ai encore beaucoup de travail.

— Dites-moi d'abord à quoi vous pensiez en écrivant cette chanson.

— A vous, répondit-elle franchement.

Il lui prit la main et la serra un instant.

— Pensez-y encore. Je reviendrai.

Il faisait nuit noire lorsque Maggie se réveilla. Encore à moitié endormie, elle crut avoir été tirée du sommeil par son rêve et jura. Au diable Cliff ! Elle refusait de rêver à lui, de passer une nuit blanche à penser à lui.

Fixant le plafond, elle écouta le silence. C'était dans des moments pareils qu'elle se rendait compte de son isolement. Dans les maisons où elle avait vécu, il y avait toujours des parents ou des domestiques. Ici, son plus proche voisin vivait à cinq cents mètres à vol d'oiseau, et en coupant par les bois. Pas de bars ou de drugstores ouverts toute la nuit. Elle n'avait pas encore réussi à trouver quelqu'un capable d'installer une antenne de télévision sur le toit.

Maggie était seule. Et c'est elle qui en avait décidé ainsi.

Pourquoi son lit était-il si vide, la nuit si longue ? Elle se retourna en soupirant.

Au rez-de-chaussée, le plancher craqua, mais Maggie n'y prêta pas attention. Toutes les vieilles maisons produisaient cette sorte de bruit la nuit. Elle l'avait appris dès son arrivée. Enervée, elle se tourna de nouveau et contempla le reflet de la lune sur les carreaux.

Elle ne voulait plus de Cliff auprès d'elle. Penser à lui devenait trop dangereux, et ce l'était plus encore quand il était là. Dieu, qu'il était attirant ! Comme il était difficile de contrôler les élans de son corps ! Quant à ses pensées...

Lorsque le craquement se reproduisit, Maggie fronça les sourcils. En général, rien ne la dérangeait. Mais jusque-là, elle avait toujours dormi profondément. Elle ferma les yeux. Le grincement d'une porte l'obligea à les rouvrir.

Son cœur fit un bond prodigieux dans sa poitrine. Elle était seule, et il y avait quelqu'un dans la maison ! Un instant, elle eut la tentation de se cacher la tête sous les draps.

Etait-ce des pas dans l'escalier ? Envahie par une terreur indescriptible, Maggie repensa aux restes gisant dans la ravine. Elle dut se mordre les lèvres pour s'empêcher de hurler. Lentement, elle tourna la tête. Le chiot dormait sur la courtepointe. Quel magnifique chien de garde ! Etait-il donc sourd ? Refermant les yeux, elle essaya de respirer plus lentement, l'oreille aux aguets.

Si Tueur n'entendait rien, c'était qu'il n'y avait rien à entendre. A force de se le répéter, elle parvint presque à s'en persuader, jusqu'à ce que le craquement recommence, suivi d'un couinement qu'elle reconnut aussitôt. La porte de la cuisine !

Lentement, très lentement, elle décrocha le téléphone. Pas de tonalité. Elle n'avait pas raccroché le combiné dans la cuisine. Inutile d'espérer du secours.

Réfléchir. Rester calme et réfléchir.

Puisqu'elle était seule, sans personne pour l'épauler, Maggie ne pouvait compter que sur elle. Combien de fois, les semaines précédentes, s'était-elle répété qu'elle pouvait vivre sans aide extérieure ? C'était le moment de le prouver.

Retenant son souffle, Maggie se mit à épier le moindre bruit. Rien. Plus de craquements, plus de pas dans l'escalier.

Elle se leva en prenant bien soin de ne pas faire gémir le sommier et alla chercher le tisonnier. Les muscles tendus, elle s'installa sur une chaise, derrière la porte. Serrant son arme improvisée à s'en faire mal, elle attendit l'aube.

Chapitre 6

Au bout de quelques jours, Maggie oublia les bruits de la maison. D'ailleurs, le lendemain matin, en se réveillant toute raide sur sa chaise, elle s'était sentie parfaitement ridicule. Elle avait été tirée d'un sommeil de plomb par Tueur qui lui léchait les doigts de pied. Le tisonnier reposait sur ses genoux, comme une épée médiévale. Le soleil brillant et le chant des oiseaux l'avaient persuadée qu'elle avait tout imaginé, que sa peur panique avait amplifié un petit crissement, comme un enfant exagère une ombre dans la nuit. Il était peut-être plus difficile qu'elle ne pensait de vivre en solitaire dans un lieu désert. Heureusement qu'elle n'avait pas pu téléphoner, autrement toute la ville aurait fait des gorges chaudes à son sujet.

Qu'elle soit énervée n'avait rien d'étonnant. On ne déterrait pas un squelette tous les jours derrière sa maison. Et puis il y avait eu les conseils du shérif concernant les serrures. Et Cliff Delaney, dont le souvenir l'empêchait de dormir. Enfin, la semaine n'était pas complètement négative. Son travail était achevé. C.J.

serait heureux de recevoir la bande magnétique et les partitions. Il cesserait peut-être même d'essayer de la ramener à Los Angeles.

D'abord poster la précieuse bande. Ensuite, une petite célébration en l'honneur de la première chanson composée dans son nouveau foyer.

Elle roula lentement jusqu'à la ville. La petite route était flanquée d'arbres qui donneraient bientôt une ombre agréable. Pour l'instant, le feuillage était maigre et laissait passer les rayons du soleil. Des deux côtés, des bois et des champs. Une bonne terre, bien lourde. Maggie aperçut quelques fermiers juchés sur leurs tracteurs. Que pouvaient-ils planter ? Du maïs, du blé ? Finalement, elle ne savait rien de la campagne. Mais il serait intéressant de voir les récoltes pousser, d'assister aux moissons.

Elle vit les vaches avec leurs veaux en train de téter, une fermière nourrissant ses poules. Un gros chien courut le long d'une haie en aboyant après sa voiture.

La peur qu'elle avait eue quelques nuits plus tôt semblait maintenant si ridicule qu'elle se refusait à y repenser.

Elle passa devant des maisons, certaines à peine des chalets, d'autres si modernes qu'elles offensaient la vue. Pourquoi ces imbéciles avaient-ils abattu leurs arbres au profit d'une pelouse ? Pourquoi gâcher ainsi le paysage ?

Maggie éclata de rire. Elle croyait entendre Cliff Delaney. Les gens n'avaient-ils pas le droit de vivre comme ils l'entendaient ? Mais elle préférait quand même les vieilles maisons entourées d'arbres.

Morganville était une vraie ville, avec ses trottoirs, ses feux de signalisations, ses voitures garées un peu partout. Maggie sourit. Devant chaque maison, un jardin. Et chacun était plus fleuri que l'autre. Il devait y avoir une sorte de compétition entre citadins. Ce devait être à qui présenterait les plus belles fleurs.

Le bureau de poste se trouvait à l'angle d'une rue. Un petit bâtiment de briques avec deux places de parking sur le devant. A côté, à peine séparée par une maigre pelouse, l'unique banque de Morganville. Deux hommes se tenaient près de la boîte à lettres, fumant et bavardant. Ils se turent en l'apercevant et la suivirent des yeux.

« Il faut t'intégrer, ma fille, tu fais désormais partie de cette communauté. »

Elle leur adressa son plus beau sourire.

— Bonjour !

— Bonjour, répondirent-ils à l'unisson.

L'un d'eux repoussa sa casquette sur la nuque.

— Vous avez une bien jolie voiture.

— Merci.

Sa première conversation avec des gens du cru. Un peu brève, mais c'était un commencement.

Dans le bureau de poste, la guichetière bavardait avec une cliente.

— Personne ne sait depuis combien de temps ces os se trouvaient là. Il y a plus de dix ans que la maison est inoccupée, depuis le départ des Faraday. Mme Faraday venait me voir chaque semaine et achetait pour un dollar de timbres. Evidemment, ils étaient moins chers à cette époque. Voilà, c'est cinq dollars, Amy.

La jeune femme paya, pendant que son bébé souriait à Maggie.

— Quelle horreur ! Si je trouvais un tas de vieux os dans mon jardin, je m'en irais le jour même. Billy pense qu'il s'agit d'un vagabond qui est venu mourir là.

Maggie soupira. Sa bonne humeur venait de s'évanouir.

— C'est possible, déclara la postière. La police va certainement découvrir de qui il s'agit.

Elle se tourna vers Maggie.

— Oui ?

— Je voudrais expédier ce paquet en recommandé.

La jeune femme s'éloigna, son bébé sous le bras, non sans lui avoir jeté un long regard de curiosité.

— Voyons combien il pèse. Vous voulez un accusé de réception ?

— Oui, s'il vous plaît.

— Vous avez bien raison. C'est un peu plus cher mais c'est plus sûr.

Apercevant le nom de l'expéditeur, elle leva les yeux.

— C'est vous qui avez acheté la maison des Morgan ?

— C'est bien moi.

La femme se mit à remplir un formulaire, sans cesser de parler.

— Jolie musique. Cela change agréablement de la musique de fous qu'on produit maintenant. Savez-vous que j'ai encore des disques de votre mère ? C'était la meilleure. Personne ne lui arrive à la cheville.

Comme chaque fois que l'on parlait de sa mère, Maggie se sentit le cœur chaud.

— C'est également mon avis, murmura-t-elle.

— Signez ici.

Pendant qu'elle s'exécutait, Maggie sentit le regard de la postière posé sur elle. Cette femme voyait passer toute la correspondance de Morganville. Sans trop savoir pourquoi, cela déplut à Maggie.

— C'est une bien grande maison que vous habitez. Vous vous y sentez à l'aise ? Comment se passe votre installation ?

— Bien, merci. Il y a beaucoup de travaux mais je les ferai petit à petit.

— C'est la meilleure solution, surtout lorsqu'on emménage dans une maison vide depuis de longues années. Vivre parmi nous doit terriblement vous changer.

— Oui, j'aime cet endroit.

La dame des postes hocha la tête vigoureusement, et Maggie sut qu'elle venait d'être acceptée.

— Bog remettra vite votre maison en état. C'est un bon choix que vous avez fait là, tout comme celui du jeune Delaney.

Maggie sourit. Décidément, les nouvelles voyageaient vite dans une petite ville.

— Vous avez dû recevoir un de ces chocs, l'autre jour !

Maggie s'attendait à ce commentaire, elle y répondit aisément.

— Je n'aimerais pas avoir à recommencer une telle expérience.

— Je vous comprends. Enfin, la police s'en occupe maintenant, il ne vous reste plus qu'à profiter de votre belle maison. Dans le temps, elle était magnifique. Louella s'en occupait très bien.

— Je compte faire de même.

Maggie ramassa sa monnaie.

— Merci.

— Bonne journée.

Maggie sortit de la poste et aspira une grande bouffée d'air frais. Elle sourit aux deux hommes qui discutaient toujours près de la boîte aux lettres. Mais lorsqu'elle se tourna, son sourire s'évanouit. Cliff se tenait près de sa voiture.

— Vous êtes sortie bien tôt, remarqua-t-il.

Ah, ces petites villes ! On ne pouvait faire un pas sans que ça se sache.

— Vous n'avez pas un chantier à visiter ?

Il grimaça un sourire et lui tendit une bouteille de soda qu'il tenait à la main.

— J'en viens et je m'apprêtais à me rendre sur un autre.

Lorsqu'elle ne fit pas le geste pour prendre le soda, il porta la bouteille à ses lèvres et but longuement.

— On ne voit pas beaucoup de voitures de cette classe à Morganville, ajouta-t-il en frappant sur la carrosserie de l'Aston Martin de Maggie.

Très digne, elle s'approcha de la portière.

— Veuillez m'excuser. J'ai à faire.

Cliff l'arrêta sans effort en posant la main sur son bras. Ignorant son regard furieux et l'air intéressé des deux badauds, il la dévisagea.

— Vous semblez fatiguée. Vous dormez mal !

— Non. Très bien.

— Je n'en crois rien.

Il leva la main vers son visage mais ne la

toucha pas. Lorsqu'elle avait cette expression de fragilité il était sans défense.

— Vous pensez toujours à cette histoire de cadavre, n'est-ce pas ?

— Et si cela était ? Je suis humaine. C'est une réaction normale.

— Je n'ai pas dit le contraire.

Il releva légèrement son menton.

— Je vous trouve bien coléreuse en ce moment. C'est à cause de cette histoire de squelette ou y a-t-il autre chose ?

Maggie cessa d'essayer de se dégager et s'immobilisa. S'il n'avait pas remarqué les deux hommes qui les observaient et la postière à sa fenêtre, elle les avait vus.

— Que je sois énervée ou pas ne vous regarde pas ! Maintenant, si vous voulez bien cesser cette comédie... Il faut que je rentre. J'ai du travail.

— Les scènes en public vous dérangent ?

Amusé, il l'attira à lui.

— Vous qui avez passé votre vie à vous faire photographier par la presse...

— Cliff, arrêtez ! Tout le monde nous regarde.

— Cela donnera à nos concitoyens un excellent sujet de conversation.

L'idée la fit rire.

— Vous êtes impossible. Les choquer vous amuse donc tant ?

— Eh bien...

Il profita de ce qu'elle était de nouveau de bonne humeur pour passer un bras autour de sa taille.

— En fait, j'avais à vous parler.

Maggie remarqua que plusieurs personnes les observaient maintenant. Elle s'agita, gênée.

— Ne pourrions-nous le faire ailleurs ?

Le voyant sourire, elle s'énerva de nouveau.

— Lâchez-moi.

— Dans un instant. Vous souvenez-vous de notre dîner, l'autre soir ?

— Bien sûr.

— Ici, lorsqu'on est convié, on rend l'invitation.

Maggie frappa du pied, impatientée.

— Je n'ai pas le temps de sortir en ce moment. Si vous pouviez attendre quelques semaines...

— Et à la fortune du pot ?

— A la... Chez moi ?

— Oui. Pourquoi pas ?

— Attendez une minute. Je n'ai jamais...

— A moins que vous ne sachiez pas cuisiner.

— Mais si !

— Parfait. Sept heures ?

Elle lui adressa son regard le plus noir.

— Ce soir je colle du papier sur les murs.

— Il faudra bien que vous vous arrêtiez pour manger.

Cliff l'embrassa brièvement mais fermement.

— A sept heures, donc. Et inutile de mettre les petits plats dans les grands. Je suis un garçon simple.

— Oh, vous !

Cliff grimpa dans son pick-up et démarra en riant. Furieuse, Maggie monta dans l'Aston Martin et s'éloigna à son tour non sans maudire Cliff Delaney.

En s'engageant dans l'allée, elle aperçut une voiture noire garée devant la maison. Ne la laisserait-on jamais tranquille ? Elle avait tellement envie d'essayer la ponceuse louée à George Cooper, au calme.

Quand elle descendit de la voiture, un homme sortit du ravin et se dirigea vers elle.

— Bonjour, Miss Fitzgerald.

— Bonjour, lieutenant.

Comment fallait-il réagir lorsque, en rentrant chez soi, on trouvait un détective de la criminelle ?

— Que puis-je faire pour vous, lieutenant ?

— J'ai besoin de votre coopération, Miss. Je sais que vous désirez que les travaux aillent vite, mais nous vous serions reconnaissants d'arrêter ceux de l'étang jusqu'à nouvel ordre.

— Puis-je en connaître la raison ?

— Nous venons de recevoir le rapport du laboratoire. Il va y avoir une enquête.

— Lieutenant, je sais que vous ne pouvez tout me dire. Mais j'aimerais quand même savoir ce qui se passe. Après tout, ceci a lieu sur mes terres.

— Sans que cela vous concerne, Miss. C'est une vieille histoire.

— Mais cela me regarde. L'enquête va bien se tenir chez moi, non ?

Reiker se passa la main sur le menton.

— Le légiste a déterminé que ces restes appartenaient à un homme de race blanche d'une cinquantaine d'années.

Maggie avala péniblement sa salive.

— Il était là depuis combien de temps ? demanda-t-elle d'une voix mal assurée.

— Environ dix ans.

— Depuis que la maison est inhabitée, murmura-t-elle. Sait-on comment il est mort ?

Il y avait un début de panique dans ses yeux, et le lieutenant hésita. Mais sachant qu'elle l'apprendrait par la rumeur publique, il préféra aller jusqu'au bout.

— D'un coup de fusil de chasse. Des chevrotines. Et à bout portant.

— Mon Dieu !

Un meurtre. Elle s'aperçut soudain qu'elle en était persuadée depuis le début de l'affaire.

— Avez-vous pu identifier ce... cet homme ?

— Oui. Ce matin.

Reiker fit une pause. Cela l'ennuyait de la voir si angoissée. Dire qu'il avait été amoureux de sa mère, comme tous les hommes de son âge, vingt ans plus tôt ! C'est dans des moments pareils qu'il regrettait d'avoir choisi ce métier.

— Nous avons trouvé une bague dans la terre. Un anneau avec trois diamants. Il y a une heure, Joyce Agee l'a reconnue. Elle appartenait à son père. William Morgan a été assassiné et enterré dans votre ravin.

Mais c'était impossible ! Ne lui avait-on pas raconté... Elle passa une main tremblante dans ses cheveux.

— Je ne comprends pas, balbutia-t-elle. On m'a dit que William Morgan avait eu un accident de voiture.

— Il y a dix ans sa voiture a traversé le parapet d'un pont. On l'a retrouvée dans le Potomac, mais pas son corps. Celui-ci n'a pas été repêché... jusqu'à ce que...

Un parapet. Dans l'eau. Comme Jerry. Ils n'avaient retrouvé le corps de Jerry qu'au bout d'une semaine. Un instant, Maggie eut l'impression de se dédoubler.

— Que va-t-il arriver, maintenant ?

— Il y aura une enquête officielle. Mais vous ne serez pas dérangée, Miss Fitzgerald. Quant au ravin, une équipe viendra le fouiller cet après-midi. C'est au cas où quelque chose nous aurait échappé.

— D'accord. Si vous n'avez besoin de rien d'autre...

— Non, Miss.

— Je serai dans la maison.

En se dirigeant vers le porche, Maggie se répéta pour la énième fois qu'un événement survenu dix ans auparavant ne la concernait nullement. Il y a dix ans, elle subissait une autre tragédie : la mort de ses parents.

Le père de Joyce. Maggie frissonna. Et Joyce avait vendu sa maison sans savoir qu'on allait y découvrir... Elle repensa à cette jolie femme tendue qui semblait si reconnaissante lorsqu'on était bon avec sa mère. Sans hésiter, Maggie chercha son numéro dans l'annuaire.

La voix qui lui répondit était très douce, à peine un murmure.

— Madame Agee... Joyce, c'est Maggie Fitzgerald.

— Oh... Bonjour.

— Je sais que ce n'est peut-être pas le moment de vous déranger. Mais je voulais que vous sachiez que je suis de tout cœur avec nous. Si je peux me rendre utile de quelque façon que ce soit...

— Merci. Il n'y a rien à faire.

Il y eut un long silence au bout du fil.

— Ç'a été un tel choc. Nous pensions...

— Je sais. S'il vous plaît, ne vous croyez pas

obligée de me faire la conversation ou d'être polie. Si j'appelle, c'est parce que je me sens un peu responsable.

— Il vaut toujours mieux connaître la vérité, répondit Joyce, très calme. C'est pour ma mère que je suis inquiète.

— Comment a-t-elle réagi ?

— Je ne sais pas. Elle est ici, avec le docteur.

— Dans ce cas, je vais vous quitter. Joyce, nous ne nous connaissons pratiquement pas, mais j'aimerais vous aider. Si vous avez besoin de moi...

— Je n'hésiterai pas à vous appeler. Merci.

Maggie replaça lentement le récepteur sur l'appareil. Ce qu'elle venait de faire ne servait à rien. Pour se sentir consolée, il aurait fallu que Joyce la connaisse mieux. Lorsque ses parents étaient morts, ç'avait été le cas avec Jerry. Heureusement, la jeune femme avait déjà un mari. Maggie se souvint de la façon dont Cliff avait pris la main de Joyce, de son regard pendant qu'il lui parlait. Il serait là pour l'aider. Qu'étaient-ils l'un pour l'autre ?

Le soleil était bas sur les collines, le ciel écarlate, lorsque Cliff prit le chemin de la maison Morgan. William Morgan assassiné... On l'avait tiré comme un lapin et enterré sur ses propres terres. Ensuite, pour égarer les soupçons, quelqu'un avait précipité sa voiture dans le fleuve.

Cliff était suffisamment proche des Morgan et de la population de Morganville pour savoir qu'il n'y avait pas une personne dans la région qui n'eût souhaité la mort de Morgan. William avait été un homme dur et froid qui possédait le génie de se faire de l'argent et des ennemis. L'assassin était-il quelqu'un que Cliff connaissait ? Un homme ou une femme avec qui il échangeait des propos dans la rue ?

Au fond, il se fichait éperdument du vieil homme. C'était Louella qui l'inquiétait, et aussi Joyce. Surtout Joyce. Elle était trop calme, trop détachée, comme à deux doigts de craquer. Joyce comptait beaucoup pour lui, plus que n'importe quelle autre femme, pourtant il lui était impossible de l'aider. C'était à Stan de la protéger.

Que pouvait faire la police après dix années ? S'ils ne découvraient pas le meurtrier, Joyce passerait le reste de ses jours à se poser des questions, pendant que le criminel continuerait à jouir de sa liberté. En arriverait-elle à considérer chacun de ses voisins comme le tueur potentiel ?

Il jura et s'engagea dans l'allée menant à la maison Morgan. Une autre femme l'inquiétait, bien qu'elle ne soit pas une amie de longue date.

Pourquoi s'en faire pour elle ? Maggie Fitzgerald venait d'une autre planète, un monde de réceptions somptueuses et de premières. Cliff aimait la solitude, Maggie la foule. Elle buvait du champagne, lui de la bière. Pendant qu'elle visitait l'Europe, il avait fait une croisière tranquille sur le fleuve.

Maggie avait été mariée à une vedette dont la carrière, après avoir connu des sommets, s'était terminée lamentablement, puis tragiquement. Elle ne sortait qu'avec les princes du show-business, smokings, cravates de soie et boutons de manchette en diamants. Que venait-elle faire ici ? Que venait-elle faire dans sa vie ?

Il se gara près de sa voiture et contempla la grande maison, songeur. Après ce qui était arrivé, Maggie avait peut-être décidé de repartir sur la Côte Ouest. Ce serait mieux ainsi. Elle n'avait pas le droit d'occuper ses pensées. Et cette musique... Il jura de nouveau. Cette musique de nuit et d'amour. Il la désirait comme il n'avait jamais convoité une femme. Et contre cette envie, impossible de lutter. Même s'il l'avait voulu, il ne pouvait se contrôler.

Pourquoi était-il ici ? Pourquoi lui avoir forcé la main, alors qu'il était évident qu'elle ne désirait pas le voir ? Pourtant, il y avait quelque chose entre eux. Ce soir, décida-t-il, il ne tenterait pas de se retenir.

En se dirigeant vers la porte d'entrée principale, il se souvint que Maggie était très différente des femmes qu'il avait connues. « Sois prudent », se dit-il.

Maggie dut s'y reprendre à deux fois avant d'arriver à ouvrir la porte. Pendant ce temps, Tueur aboya à pleins poumons.

— Pourquoi ne pas avoir demandé à Bog de réparer cette porte ? lui fit-il remarquer avant de se pencher pour caresser le chiot.

Tueur se laissa aller sur le dos et offrit son ventre.

Maggie était ravie de le voir. Elle se dit que toute visite aurait été la bienvenue mais sut immédiatement que c'était un mensonge. Elle l'avait attendu tout l'après-midi.

— Je me dis cela chaque jour, puis j'oublie de l'appeler.

Cliff remarqua qu'elle était tendue et lui sourit, rassurant.

— Qu'y a-t-il pour dîner ?

— Des hamburgers.

— Pardon ?

— N'avez-vous pas déclaré qu'il était inutile de mettre les petits plats dans les grands ?

— C'est malheureusement vrai.

Il gratta une dernière fois la nuque de Tueur et se releva.

— Puisque c'était ma première réception, j'ai pensé que je devais m'en tenir à ma spécialité, déclara-t-elle en souriant à son tour. C'était ça ou de la soupe en boîte et des sandwiches.

— Si vous ne vous êtes nourrie que de ça depuis votre arrivée, il n'est pas étonnant que vous soyez si mince.

Maggie cessa de sourire et fronça les sourcils.

— Quand arrêterez-vous de me critiquer ?

— Je n'ai jamais dit que je n'aimais pas les femmes minces.

— Là n'est pas la question.

Maggie se dirigea vers la cuisine et il la suivit, notant au passage qu'elle avait commencé à arracher le vieux papier qui recouvrait les murs de l'entrée. Pourquoi une femme possédant sa fortune n'engageait-elle pas un décorateur ? En quelques semaines la maison serait habitable, alors que seule il lui faudrait des mois. Il remarqua également que le carrelage de la cuisine avait été poncé. Plus une trace de colle.

— Beau travail, dit-il en se penchant pour y passer la main.

Tueur en profita pour lui lécher la figure.

— Merci, murmura Maggie.

— Mais pourquoi faire cela vous-même ?

— Parce que ce sol en avait besoin.

— Pourquoi vous ?

— C'est ma maison.

Il alla se mettre à ses côtés et regarda ses mains.

— Ponciez-vous vos sols en Californie ?

— Non.

Ses questions commençaient à l'agacer.

— Combien voulez-vous de steaks ?

— Un sera bien suffisant. Pourquoi tapisser vos murs et gratter vos sols ?

— Parce que c'est ma maison ! répéta-t-elle, excédée.

— En Californie, c'était aussi votre maison, non ?

— Pas de la même façon.

Elle se tourna vers lui ; il lut dans son regard de l'impatience et une certaine frustration.

— Je ne crois pas que vous puissiez comprendre, et je m'en fiche. Cette maison est spéciale. Même après tout ce qui est arrivé, elle m'est chère.

Non, il ne comprenait pas, mais il aurait bien voulu.

— Ainsi, vous êtes au courant.

— Oui. Le lieutenant Reiker est passé ce matin.

Elle commença à laver la salade.

— J'ai aussitôt appelé Joyce. Je n'ai trop su que dire. Je me sentais ridicule.

Cliff trouva étrange que Joyce ne lui en ait pas

parlé. Mais d'un autre côté, ils ne s'étaient pas vus bien longtemps.

— C'est une affaire entre Joyce, sa mère et la police. Vous n'êtes pas concernée.

— C'est ce que je ne cesse de me dire. Mais c'est arrivé ici, donc cela me regarde, que je le veuille ou non. Un homme a été tué. Assassiné là où j'avais prévu un gentil bassin bien calme, et maintenant...

— C'était il y a dix ans.

— Ça ne change rien ! Mes parents sont morts il y a dix ans. Le temps n'efface rien.

— Vos parents, c'est différent. C'est votre problème.

— Et cela me permet de comprendre ce que ressent Joyce. Quoi qu'on dise, je suis concernée.

Cliff passa la main dans ses cheveux. Le désir avait fait place à une furieuse envie de la protéger.

— Vous ne connaissiez même pas Morgan, dit-il en reculant d'un pas.

— Non, mais...

— Moi, je le connaissais bien. C'était un homme froid et dur qui ignorait le sens de mots tels que compassion ou générosité. Si ce n'avait été pour Louella, la moitié de la ville se serait réjouie de sa mort. Elle l'adorait. Joyce aussi l'aimait. Mais elles avaient surtout peur de lui. La police aura du mal à trouver l'assassin, et personne ne les aidera. Moi-même je le haïssais, pour toutes sortes de raisons.

Comment pouvait-il parler d'un meurtre aussi calmement ?

— A cause de Joyce ? demanda-t-elle en essorant sa salade.

Cliff surveillait la cuisson des hamburgers. Il leva la tête.

— C'est une des raisons. William Morgan était vieux jeu et croyait à la discipline à l'ancienne. Pour moi, Joyce était une petite sœur. Le jour où je l'ai surpris en train de la fouetter... Ce jour-là, je l'ai menacé de mort.

Il en parlait si tranquillement que le sang de Maggie se glaça dans ses veines.

— Et la moitié de la population de Morganville partageait mon opinion sur lui, reprit-il. Aussi, lorsqu'on a repêché sa voiture dans le fleuve, personne n'a pleuré.

— On n'a pas le droit de disposer d'une vie, dit-elle d'une voix tremblante, fût-elle la sienne.

Cliff se souvint qu'on avait également repêché la voiture de son mari dans l'eau. L'enquête avait conclu au suicide.

— Ne faites pas de comparaisons, murmura-t-il.

— Elles viennent tout naturellement.

— Ce qui est arrivé à Jerry Browning était un terrible gâchis de vie et de talent. Vous ne devez pas vous en sentir responsable.

— Je n'ai jamais pensé l'être, répondit-elle d'un ton las.

— Vous l'aimiez ?

— Pas assez.

— Mais suffisamment pour lui être fidèle six ans.

Maggie sourit au souvenir de cette déclaration un rien pompeuse.

— Oui. Mais plus par loyauté que par amour.

Cliff caressa lentement son visage.

— Malgré tous vos beaux discours, vous vous sentez terriblement responsable.

— Peut-être, finit-elle par avouer.

Elle se secoua et se força à sourire.

— La viande est cuite. A table !

Chapitre 7

Maggie trouvait sa cuisine confortable. L'odeur de la nourriture, le bruit de la pluie qui venait frapper aux carreaux... Au fond, en y réfléchissant bien, elle n'avait jamais vraiment connu la chaleur d'un foyer. Ses parents vivaient sur une grande échelle. D'immenses pièces, de gigantesques réceptions, des amis excentriques et célèbres. Sa maison, à Beverly Hills, ressemblait à celle de sa mère. Là, Maggie avait mené une vie extravagante. Par habitude ? Par nécessité ? Quand avait-elle commencé à s'en fatiguer ? En tout cas, elle n'avait jamais été aussi détendue qu'à cet instant, dans sa cuisine à moitié terminée, partageant son repas avec un homme dont elle n'était pas très sûre.

Cliff était solide. Maggie n'avait jamais permis à un homme aussi fort de s'introduire dans sa vie. Son père était également solide, se souvint-elle. Il appartenait à cette catégorie d'hommes qui pouvaient obtenir exactement ce qu'ils désiraient, uniquement parce qu'ils le voulaient. Il ne s'agissait pas de force physique, mais de personnalité et de volonté. Et sa mère, avec son cran et son exubérance... Maggie n'avait jamais plus rencontré un couple aussi complémentaire.

Comme ils s'aimaient ! Dans un monde où la jalousie faisait partie du métier, ils ne s'étaient jamais enviés, chacun se félicitant du succès de l'autre. Entraide. C'était le secret de leur réussite en tant que couple. Ils s'étaient toujours soutenus mutuellement. Maggie n'avait pas trouvé cela dans son union et elle en était arrivée à la conclusion que ses parents formaient une paire unique.

Quelque chose s'était brisé entre Jerry et elle. Plus il devenait faible, plus elle se sentait forte. Ils en étaient arrivés rapidement à une situation délicate. L'aide ne venait plus que de son côté, le besoin d'être épaulé se trouvant de celui de Jerry. Pourtant, elle ne l'avait pas abandonné, parce qu'il lui était impossible d'oublier leur amitié. On ne trahissait pas un ami.

Maggie dévisagea Cliff. Quel genre d'ami ferait-il ? Quelle sorte d'amant ?

— A quoi pensez-vous ?

La question la surprit et elle faillit renverser son verre. Que répondre sans mentir ? Il n'était pas question, bien sûr, de lui dévoiler ses dernières pensées. Elle assura son verre dans la main et revint au début de ses divagations.

— Je me disais qu'il était bien agréable de dîner dans la cuisine. Je crois que la salle à manger ne viendra qu'en dernier dans l'ordre de mes priorités.

— Vous pensiez vraiment à cela ?

A sa façon de la regarder, Maggie comprit qu'il soupçonnait autre chose.

— Plus ou moins.

Une femme qui avait été questionnée par les journalistes toute sa vie savait éluder les questions. Très calme, elle emplit son verre.

— Ce Bordeaux est un autre cadeau de mon agent. Un présent destiné à me corrompre.

— Vous corrompre ?

— Il désire me voir abandonner ce désert pour retourner à la civilisation.

— Et il pense vous acheter avec un chiot et du vin français ?

— Si je n'aimais tant cet endroit, cela aurait peut-être marché.

— Vous y êtes donc tellement attachée ?

Maggie avait commencé à sourire. Elle redevint soudain sérieuse.

— Vous devriez savoir que certaines plantes prennent racine très rapidement.

— C'est vrai. Mais il leur arrive de ne pas s'acclimater lorsqu'on les change d'exposition.

Maggie joua un moment avec son verre. Qu'il doute d'elle la chagrinait plus qu'elle voulait l'admettre.

— Vous n'avez guère confiance en moi, n'est-ce pas ?

— Je n'en sais rien, répondit Cliff en haussant les épaules. Mais je trouve intéressant de vous observer, d'assister à la transplantation.

Elle décida d'entrer dans son jeu.

— Je me débrouille bien ?

— Mieux que je ne pensais au début.

Il leva son verre, comme pour porter un toast.

— Mais il est encore tôt.

Elle préféra en rire. Se disputer avec lui ne mènerait à rien.

— Etes-vous né cynique, ou avez-vous suivi des cours ?

— Et vous ? Etes-vous née optimiste ?

Maggie se désintéressa de son assiette et le dévisagea. Bien qu'elle aimât son visage, elle n'arrivait pas à y lire. Il se contrôlait trop. Pour le connaître mieux, il aurait fallu qu'il se laisse aller.

— Finalement, je suis heureuse que vous soyez venu ce soir.

Elle grimaça un sourire.

— C'était une occasion d'ouvrir une des précieuses bouteilles de C.J.

Le visage de Cliff s'éclaira d'un demi-sourire.

— Je vous ennuie ?

— Je crois que vous vous en apercevez parfaitement. Et cela a l'air de beaucoup vous amuser.

Cliff avala une petite gorgée de Bordeaux. Il était riche et corsé, comme la bouche de Maggie.

— C'est vrai.

Il l'avoua si franchement qu'elle ne put qu'en rire.

— Est-ce personnel, ou agacer les gens est-il un de vos passe-temps ?

— Ce divertissement ne s'applique qu'à vous.

Il l'étudia par-dessus le bord de son verre. Elle avait relevé ses cheveux en un chignon un peu lâche qui accentuait son côté légèrement classique. Ses yeux, très peu maquillés, l'étaient cependant assez pour paraître encore plus grands, mais sa bouche était vierge de tout fard. Cette femme savait tirer profit de son physique si subtilement qu'un homme se trouvait pris avant d'avoir eu le temps de comprendre qui était Maggie, et quelle était la part d'illusion.

— J'aime vos réactions, dit-il. Vous n'appréciez pas de perdre votre sang-froid.

— C'est sans doute pourquoi vous me provoquez jusqu'à ce que je le perde.

— Exactement.

— Pourquoi ? demanda-t-elle, amusée et exaspérée à la fois.

— Parce que vous ne m'êtes pas indifférente et que je détesterais savoir que vous ne vous intéressez pas à moi.

Sa franchise la stupéfia, et elle resta un long moment sans répondre. Finalement, elle se leva et commença à débarrasser la table.

— Vous n'avez rien à craindre de ce côté-là, murmura-t-elle, les yeux baissés. Voulez-vous encore un peu de vin ou désirez-vous du café ?

Cliff lui prit les mains et se leva lentement. Maggie eut l'impression que la cuisine venait de rétrécir. Le chuintement de la pluie avait pris des proportions de cataracte.

— Je voudrais faire l'amour avec vous.

Maggie n'était plus une enfant. D'autres hommes avaient déjà manifesté le même désir et elle avait su résister à la tentation. Mais étaient-ils aussi attirants que Cliff ?

— Nous avons déjà discuté de cela.

Voyant qu'elle allait tenter de se dégager, il serra ses mains plus fort.

— Mais nous n'avons pas résolu le problème.

Elle ne pouvait se détourner ou s'enfuir, pas avec un homme pareil...

— J'avais pourtant l'impression qu'il l'était. Je vais faire du café, cela nous tiendra éveillés. Vous allez devoir conduire, j'ai encore du travail.

Cliff lui enleva les assiettes et les reposa sur la table. Les mains vides, Maggie se sentit perdue. Elle croisa les bras sur la poitrine, un geste, Cliff l'avait remarqué, qu'elle accomplissait chaque fois qu'elle était énervée ou troublée.

— Nous n'avons rien résolu, répéta-t-il. Nous n'avons même pas cherché une solution.

Bien que soutenant son regard bravement, Maggie recula d'un pas lorsqu'il s'approcha.

— Moi qui pensais m'être fait comprendre, parvint-elle à articuler d'une voix ferme.

— Je comprends tout autre chose quand je vous touche.

Cliff enleva une épingle de ses cheveux.

— Lorsque vous me regardez comme vous le faites maintenant...

Le cœur de Maggie se mit à battre plus vite. Elle faiblissait. Sa tête était trop légère, son corps trop lourd. Le désir c'était la tentation, la tentation une séduction en soi.

— Je n'ai jamais dit que je ne vous désirais pas...

— C'est exact.

Il enleva une autre épingle, et sa chevelure se répandit sur ses épaules.

— D'ailleurs, vous ne savez pas mentir.

Elle était si détendue, tout à l'heure. Maintenant, chacun de ses muscles était bandé dans l'attente du combat qui devenait inévitable.

— C'est vrai, je ne mens jamais.

Sa voix était plus rauque.

— J'ai dit que je ne vous connaissais pas, que vous ne me compreniez pas.

Un éclair passa dans ses yeux. De la rage ? Du désir ? Maggie fut incapable de décider.

— Je me fiche de mieux vous connaître ou que nous nous comprenions ! J'ai envie de vous.

Il posa la main sur sa nuque, serra ses cheveux.

— Je n'ai qu'à vous toucher pour savoir que vous me désirez.

Les yeux de Maggie devinrent sombres. Pourquoi le désir s'accompagnait-il toujours de colère et de faiblesse ? Pourquoi ne pouvait-elle mieux se contrôler ?

— Croyez-vous vraiment que ce soit aussi simple ?

Il le devait. Pour être assuré de survivre, il fallait que Cliff se persuade que ce qui se passait entre eux était purement physique. Ils feraient l'amour toute la nuit, jusqu'à épuisement. Au matin, le désir aurait disparu. Il devait y croire. Autrement...

— Pourquoi serait-ce compliqué ?

Une rage folle et un besoin urgent la submergèrent.

— Pourquoi, en effet ?

La pièce avait perdu de sa chaleur et de son confort. Maggy n'allait pas tarder à suffoquer si elle ne la quittait pas. Ses yeux étaient voilés par la fureur, ceux de Cliff dangereusement calmes, mais elle ne les baissa pas. Pourquoi se montrer rationnelle ou romantique ? se demanda-t-elle. Elle n'était plus une adolescente innocente perdue dans ses rêves mais une adulte, une veuve, une professionnelle qui vivait dans le réel. Dans la réalité, les gens prenaient ce qu'ils désiraient, puis en supportaient les conséquences. C'était ce qu'elle allait faire.

— La chambre à coucher est au premier, dit-elle.

L'écartant d'un revers de main, elle sortit de la cuisine.

Cliff se sentit troublé. Pourtant, c'était bien ce qu'il souhaitait, non ? Pas de complications. Mais cette acceptation brutale était si inattendue, si froide. Non, se dit-il en la suivant, ce n'était pas ce qu'il voulait.

Maggie se trouvait au pied de l'escalier lorsqu'il la rattrapa. Regardant par-dessus son épaule, elle vit de la fureur dans ses yeux. Cliff, lorsqu'il prit son bras, sentit la tension. C'était cela qu'il désirait, se dit-il. Il ne voulait pas d'une Maggie froide et compassée. Il fallait que leur passion éclate. Avant que la nuit s'achève, tous deux seraient agréablement détendus. Mais maintenant...

Ils gravirent les marches ensemble, silencieux.

La pluie tombait dru, frappant sèchement aux carreaux, avec un bruit mou sur la terre fraîchement retournée. La différence de son rappela à Maggie l'arrangement de percussions qu'elle avait imaginé pour la chanson qu'elle venait de composer. Comme il n'y avait pas de lune et qu'elle ne désirait pas allumer la lampe, elle se guida de mémoire. Il faisait si sombre qu'on ne distinguait rien, pas même une ombre. Certaine que Cliff la suivait, elle ne se retourna pas en pénétrant dans la chambre.

Et maintenant ? La panique ! Quelle idée d'amener cet homme ici, le seul endroit de la maison qu'elle considérait comme réellement privé. Avant que la nuit passe, il en saurait trop sur elle. Quant à Maggie, elle en savait assez. Ils se désiraient.

Heureusement, il faisait sombre. Elle ne voulait pas qu'il lise le doute sur son visage. L'obscurité convenait mieux. Quand Cliff la frôla, elle se raidit.

Il la caressa doucement, comme on fait avec un animal rétif. Pourtant, il ne la voulait pas trop détendue. Pas encore.

— Vous avez changé d'avis ?

— Peut-être.

— Pourtant, nous n'avons guère de choix.

— En effet, il n'y en a pas d'autre.

Il passa les bras sous son pull et l'enlaça, plaçant une de ses mains sur sa nuque.

— Non. Pas pour nous.

Maggie ferma les yeux. Le corps de Cliff était ferme contre le sien. Sa voix douce et grave, avec une touche de colère. Elle aimait l'odeur de sa peau. Son visage était mystérieux dans la pénombre. Au fond, ç'aurait pu être un autre. Lorsqu'elle sentit le désir monter en elle, elle le souhaita.

— Faites-moi l'amour, murmura-t-elle. Prenez-moi maintenant. N'est-ce pas ce que nous voulons tous deux ?

Il n'en était plus si sûr, mais il oublia tout quand leurs lèvres se joignirent. Il était trop tard pour se poser des questions. Sa raison vacilla. Ne pas penser, se laisser guider par des sensations. Bien qu'ils s'y soient attendus, ils furent pris dans un maelström qu'ils étaient incapables de dominer. Brisés par ce tourbillon, ils s'abattirent sur le lit.

Cliff aurait voulu se montrer doux, il ne le put.

D'ailleurs, Maggie ne semblait pas s'y attendre. Il la voulait nue sans être vulnérable, douce mais toutes griffes dehors. Les mains tremblantes, il se mit à arracher ses vêtements, et faillit pousser un cri de surprise quand elle l'imita.

Le parfum de Maggie! Sur sa peau, dans ses cheveux... C'était assez pour lui faire perdre la raison, à supposer qu'il lui en restât. Ils roulèrent sur le lit, sans plus se préoccuper de la pluie, de la nuit, du lieu et de l'heure.

Nus. Peau contre peau. Une sorte de désespoir couplé à de l'exaspération les faisait s'agripper l'un à l'autre. Des demandes murmurées, deux respirations laborieuses, des gémissements, des soupirs de plaisir, le tout noyé dans le bruit de la pluie. Le corps de Maggie était menu, souple et étonnamment solide. De quoi rendre tout homme fou.

C'était cela se consumer de désir. Chacune de ses caresses faisait plus d'effet que la précédente. Pas de fausse honte, pas d'hésitation. Maggie aurait bien réclamé plus, mais il lui donnait déjà tout.

Et ce corps! Long, musclé. Lorsqu'elle passait la paume sur sa peau, elle avait l'impression de sentir son sang circuler. Maggie sourit dans l'ombre. Cliff n'arrivait pas à se contrôler plus qu'elle. Ils étaient victimes d'une passion que rien ne pouvait arrêter. Le feu qui brûlait en eux s'éteindrait trop vite, mais en attendant... Le désir était bien de la folie, comme elle l'avait écrit dans sa chanson.

Ils atteignirent l'extase ensemble, sauvagement, se débattant pour prolonger cet instant, ce désir hors du commun ; pour aller jusqu'au bout de leur plaisir. L'œil d'un cyclone! Maggie entendit des bruits de tempête et de fureur, puis tout bascula et ce fut le grand calme.

L'amour? Elle reprenait petit à petit ses esprits. Si c'était ça, l'amour, elle était encore bien innocente. Faire l'amour. Cela semblait si anodin, sans doute à cause du mot amour, pourtant quel effet destructeur sur le corps. Son cœur était à bout, comme si elle avait gravi une montagne, puis dévalé l'autre versant. Dire qu'elle écrivait des chansons sur l'amour! Pour la première fois, il lui semblait enfin comprendre ses propres paroles.

Elle se mit à penser au film dont elle venait d'écrire la musique. L'histoire d'une femme contente de sa vie, satisfaite de son petit bonheur quotidien. Jusqu'au jour où elle rencontrait un homme avec qui elle n'avait rien en commun. Mais il existait cette petite étincelle qui mettait le feu aux poudres, qui changeait tout. Bien que cette femme soit intelligente et ait réussi dans la vie, l'arrivée de l'homme bouleversait tout.

Fiction? Non, c'était ce qui était en train de se passer avec elle. Elle aussi était consumée par le désir. Pour elle non plus rien désormais ne serait pareil.

Dans le film, cette passion déclenchait une violence inimaginable. Son instinct lui disait que ce qui leur arrivait pouvait donner le même résultat. Ils ne savaient pas se modérer.

Et maintenant?

Cliff ne parlait pas. Lui qui désirait de la passion était maintenant effrayé par celle qu'il avait déchaînée. Comme dans sa chanson, songea-t-il. Mais la réalité dépassait de beaucoup la fiction. Une fois ce besoin fantastique assouvi, il s'était imaginé que le désir serait moindre. Il n'en était rien.

Si son corps demandait grâce, son esprit...

Il se souvint soudain des paroles de la chanson. « Le désir est de la folie. »

Dans ce cas, il était devenu fou, sans espoir de guérison.

Avançant la main, il la toucha.

— Vous êtes glacée.

— J'ai un peu froid.

Il rassembla les couvertures éparpillées et les en recouvrit.

— Vous vous sentez mieux ? demanda-t-il en la serrant contre lui.

— Oui.

Son corps était détendu, bien que son esprit continuât à s'agiter.

Ils se turent.

Cliff écouta la pluie tomber. Ce bruit régulier ajoutait à l'impression d'isolement qu'il ressentait. Même par nuit claire on ne devait apercevoir aucune lumière.

— Cela ne vous gêne pas de vivre seule ici ?

Maggie se pelotonna contre lui. Elle n'avait pas envie de parler solitude.

— Cette maison est la plus isolée du comté, continua-t-il. Un tas de gens élevés dans la région n'arriveraient pas à s'y faire, particulièrement après ce qui s'est passé.

Maggie soupira mais ne répondit pas.

— Maggie, vous avez eu des ennuis !

— Non, pas vraiment.

Elle aurait tant voulu ne penser qu'à lui.

— Je dois admettre que j'ai eu une ou deux nuits difficiles depuis que vous avez commencé à creuser le ravin. J'ai beaucoup d'imagination et...

— Cela fait partie de votre talent.

— Peut-être, répondit-elle en riant.

Sous ce rire, Cliff détecta une grande nervosité.

— Une nuit, j'ai cru entendre quelqu'un dans la maison.

Il cessa de caresser ses cheveux.

— Ici ?

— Mon imagination. Le plancher craquait dans le grenier, tout comme les marches de l'escalier. Puis il m'a semblé qu'on refermait une porte. Cela m'a mise dans un état !

— Vous ne pouviez pas téléphoner ?

— J'avais oublié de raccrocher le combiné dans la cuisine. C'est aussi bien ainsi. On m'aurait prise pour une folle.

— Verrouillez-vous les portes ?

— Jamais avant le jour où le shérif est passé ; mais depuis...

— Stan est venu ?

— Quand cesserez-vous de m'interrompre ? s'insurgea-t-elle.

— Je ne recommencerai plus. Quand est-il venu ?

— Le jour qui a suivi la visite de la criminelle. Il désirait me rassurer. Il a l'air très compétent.

Pourquoi ne s'occupait-il pas d'elle au lieu de la questionner ?

— C'est un excellent shérif...

— Mais ?

Comme il se taisait, elle insista.

— Joyce ?

— Joyce est comme une sœur pour moi. Rien de plus. Lorsqu'elle s'est mariée avec Stan, c'est moi qui l'ai conduite à l'autel. Je suis le parrain de leur fille aînée. Je ne crois pas que vous puissiez comprendre ce genre d'amitié.

Ce n'était pourtant pas difficile. C'était la même amitié qui l'unissait à Jerry. Malheureusement, elle s'était dégradée pendant ce mariage qui avait été une erreur.

— Je comprends parfaitement. Mais je comprends moins votre inquiétude à son égard.

— Cela ne regarde que moi.

— Exact.

Il jura à voix basse. Tout ceci participait de sa vie privée, et il s'était juré de ne rien lui dévoiler. Pourtant, il se sentit obligé de s'expliquer.

— Joyce ne voulait pas rester à Morganville. En fait, depuis l'enfance elle voulait être actrice.

— Vraiment ?

— Des rêves, sans doute... En tout cas, elle cessa de rêver du jour de son mariage. Mais elle ne sera jamais heureuse à Morganville. Elle a vendu la maison pour qu'ils puissent partir, or Stan ne veut rien entendre. Il ne comprend pas qu'elle désire s'en aller. Joyce l'a épousé lorsqu'elle avait dix-huit ans et elle a eu ensuite trois enfants en cinq ans. Elle a passé sa jeunesse à obéir à son père, maintenant elle s'occupe de ses enfants et de sa mère. Mais vous ne pouvez comprendre.

— Je suis fatiguée de vos réflexions ! De quel droit me rangez-vous dans une catégorie à laquelle je n'appartiens pas ? Je ne suis pas une de ces vedettes de magazine sans liens avec le monde réel ! Comment pouvez-vous dormir avec une femme que vous ne respectez même pas ?

— Maggie, écoutez-moi.

— Non !

Elle se mit à chercher ses vêtements dans le noir.

— Vous avez eu votre repas et votre détente. Partez, maintenant.

Maggie était folle de rage. Qu'elle lui ait cédé ne lui donnait pas le droit de la juger. Pendant qu'elle s'habillait, Cliff décida qu'il était inutile de tenter de la calmer. Il ramassa ses affaires tout en écoutant la pluie.

— Nous n'avons pas fini, nous deux ! s'écria-t-il.

— Vraiment ?

Elle se tourna vers lui, les yeux pleins de larmes. Mais l'obscurité la protégeait.

— Nous avons couché ensemble et c'était très bien, déclara-t-elle d'un ton faussement détaché. La première nuit, en général, n'est pas aussi brillante. Si cela peut vous consoler, Cliff, vous êtes un amant superbe.

Ce fut à son tour de se mettre en colère. Il l'empoigna par les épaules et la secoua durement.

— Pourquoi vous énerver ? lui demanda-t-elle d'un ton glacial. Parce que j'ai dit la première ce que vous pensiez ? Ce que nous pensons tous les deux ? Rentrez vite chez vous, Cliff. Je n'ai plus besoin de vous.

C'était comme si elle l'avait giflé. S'il restait une minute de plus il ne répondrait plus de rien. L'étrangler ? Il fut tenté. La jeter sur le lit et se calmer en la prenant de force ? Encore plus tentant.

Etait-ce bien lui qui la secouait ainsi ?

Non. S'il restait il commettrait l'irréparable et la perdrait à jamais.

Il la lâcha brusquement et sortit.

— N'oubliez pas de fermer les portes, jeta-t-il par-dessus son épaule.

Maggie l'entendit jurer dans l'escalier.

Elle croisa les bras sur sa poitrine et éclata en sanglots. Il était bien trop tard pour penser aux serrures, se dit-elle.

Chapitre 8

Les jours suivants, Maggie travailla comme elle ne l'avait jamais fait auparavant. Pour commencer, elle acheva le sol de la cuisine, son premier projet mené à bien, puis elle ajouta trois nouveaux rouleaux de papier aux murs de sa chambre et lessiva les peintures de l'entrée.

Le soir, elle se consacrait au piano, jusqu'à ne plus distinguer les touches et supporter sa propre musique. Son téléphone était maintenant décroché en permanence. Finalement, cette vie de recluse avait ses avantages. N'étant plus dérangée, elle produisait plus.

Evidemment, elle en faisait trop. Mais n'était-ce pas le seul moyen de ne plus penser à cette nuit passée dans les bras de Cliff ? Quelle erreur ! Il valait mieux oublier ce genre de bêtise.

Elle ne vit personne, ne parla à personne, et parvint même à se persuader que cela pouvait continuer indéfiniment.

Mais la solitude ne dure jamais. Maggie peignait les encadrements de fenêtre de la salle de musique quand elle entendit une voiture approcher. Un instant, elle se dit qu'en ignorant le visiteur elle le découragerait. Mais, reconnaissant la vieille Lincoln, elle se précipita à la rencontre de Louella Morgan.

La vieille dame avait l'air encore plus fragile que de coutume. Sa peau paraissait transparente, ses cheveux plus blancs. Elle semblait à la fois plus jeune et plus âgée. Louella s'immobilisa soudain et regarda dans la direction du ravin, les yeux écarquillés, la respiration coupée. Lorsque Maggie vit qu'elle faisait mine de se diriger vers la clôture posée par la police, elle sortit.

— Bonjour, madame Morgan.

Louella se retourna lentement. Elle tapota ses cheveux d'une main tremblante.

— Il fallait que je vienne, murmura-t-elle.

— C'est bien normal, répondit Maggie en s'efforçant de sourire. Pourquoi n'entrez-vous pas ? Je m'apprêtais à faire du café.

Louella gravit les marches branlantes du porche. Il fallait absolument que Maggie téléphone à Bog pour qu'il les arrange.

— Vous avez fait des changements.

— Oui. Dedans et dehors. Mais les paysagistes travaillent plus vite que moi.

Tueur, planté dans l'entrée, se mit à aboyer. Maggie le chassa d'un grand geste de la main.

— Ce papier était déjà sur les murs lorsque j'ai emménagé. J'ai toujours voulu le changer.

— Vraiment ?

Maggie la poussa gentiment vers le salon.

— Vous pourriez peut-être me donner quelques conseils. Je n'arrive pas à me décider.

— Quelque chose de chaud, dit Louella de sa voix douce. Quelque chose d'accueillant, avec des couleurs subtiles, pour que les gens se sentent les bienvenus. C'était cela mon projet.

— Exactement ce que j'avais dans l'idée.

Maggie eut envie de passer le bras autour des épaules de Louella et de lui dire qu'elle la comprenait. Sans doute était-il plus sage de ne pas accomplir ce geste.

— Une maison comme celle-ci devrait sentir la cire et les fleurs, murmura Louella.

Pour le moment, elle sentait la peinture et la poussière.

— Ce sera le cas très bientôt, répondit Maggie.

— Une maison devrait toujours être pleine d'enfants.

Louella regarda autour d'elle, les yeux vides, comme si elle revoyait le salon tel qu'il était vingt ans plus tôt.

— Ce sont les enfants qui donnent sa vraie personnalité à une maison, plus que la décoration. Ils y laissent leur marque.

— Vous avez des petits-enfants, n'est-ce pas ? Maggie la conduisit jusqu'au canapé.

— Oui, les enfants de Joyce. Le benjamin va déjà à l'école. Comme la jeunesse évolue vite ! Avez-vous regardé les photos ?

— Les photos ? Ah, oui. Mais trop rapidement. J'ai été très occupée ces jours derniers.

Elle alla les chercher. L'enveloppe se trouvait toujours sur le manteau de la cheminée.

— Vos roses étaient magnifiques. Je ne sais si je serai capable d'en faire autant.

Louella prit l'enveloppe et la fixa un petit moment.

— Les roses ont besoin de soins et de discipline, comme les enfants.

Maggie s'assit à côté de Louella, oubliant son offre de préparer du café.

— Si nous les regardions ensemble ?

— Des vieilles photos.

Louella fit glisser les épreuves sur ses genoux.

— Il y a tant à apprendre de ces vieux instantanés si on sait regarder. Le début du printemps, murmura-t-elle en prenant la première. Les jacinthes et les narcisses sont en fleurs.

Maggie étudia le petit carré de papier noir et blanc, mais ce fut pour s'intéresser à l'homme et à la petite fille qui y figuraient. Très grand, avec un torse puissant et une mâchoire volontaire, il était vêtu d'un costume sévère. La petite fille portait une robe fleurie, avec des rubans à la taille, des chaussures à brides et un petit bonnet.

Ce devait être Pâques, pensa Maggie. La fillette souriait à la caméra. Joyce ne devait pas avoir plus de quatre ans. William Morgan ne semblait pas cruel, mais plutôt austère, autoritaire. Elle retint un frisson et prit un ton léger.

— Je compte aussi planter des bulbes.

Louella ne répondit pas et passa à la photo suivante. C'était elle qu'on apercevait, plus jeune de vingt ans. L'angle bizarre de prise de vue indiquait que la photo avait été certainement prise par Joyce, encore enfant.

— Les roses, murmura Louella en indiquant l'endroit où elles poussaient à profusion. Personne ne s'en est occupé, elles sont toutes mortes.

— Avez-vous un jardin maintenant ?

— Joyce en a un. J'y mets quelquefois la main, mais ce n'est pas comme posséder le sien.

— Oui, c'est différent, cependant elle doit apprécier votre aide.

— Elle n'a jamais aimé notre ville. Jamais. Dommage qu'elle tienne plus de moi que de son père.

— Votre fille est très jolie. J'espère que nous nous verrons plus souvent. Son mari m'a parlé d'un dîner...

— Stan est un brave homme. Il l'a toujours adorée.

Elle sourit tristement.

— Il est très bon avec moi.

Lorsqu'elle passa à une autre photo, Maggie la sentit se raidir. Son sourire se figea. William Morgan et Stan Agee, encore adolescent. C'était un cliché plus récent, en couleur, et le feuillage était roux. L'automne. Les deux hommes portaient de grosses vestes en flanelle et tenaient chacun un fusil de chasse.

Maggie se pencha et frissonna. Ils avaient été photographiés sur les bords du ravin.

— C'est Joyce qui a pris cette photo. Elle chassait avec son père. William lui avait appris à se servir d'un fusil avant l'âge de douze ans. La pauvre, elle détestait les armes à feu, mais pour plaire à son père... Il adorait chasser sur ses terres. Et c'est là qu'il est mort. Ici même. Pas dans la rivière, mais chez lui. Au fond, je l'ai toujours su.

— Madame Morgan...

Maggie écarta la photo et lui prit la main.

— J'aimerais tant vous aider.

Louella fixa un long moment Maggie sans sourire.

— Faites creuser votre étang. Plantez des fleurs. Le reste n'est que du passé.

Cette froideur troubla plus Maggie que des larmes.

— Vos photos ! dit-elle à Louella qui se levait.

— Gardez-les.

Arrivée sur le seuil, elle se retourna.

— Je n'en ai plus besoin.

Maggie vit la voiture disparaître dans l'allée et soupira. Depuis quelques jours, elle avait fini par se persuader que la tragédie des Morgan ne la concernait pas. Maintenant, après ce bref contact, elle n'en était plus si certaine.

Et cette façon qu'avait eue Louella de regarder les photos. Elle frissonna et croisa les bras sur sa poitrine. Etait-ce son imagination ? Il lui avait semblé que Louella étudiait la dernière photo d'un air bizarre.

Sourcils froncés, Maggie alla fouiller dans l'enveloppe. William Morgan, le cheveu un peu plus rare que sur le cliché pris pour Pâques. Stan Agee, encore presque enfant, maigre, décoiffé. Le jeune homme tenait son fusil avec habileté, comme s'il avait une grande habitude des armes à feu. Pas étonnant que Joyce lui ait sacrifié ses rêves. Il était jeune et très beau.

Maggie comprenait également pourquoi Joyce avait si peur de son père. William Morgan fixait l'objectif, le fusil bien en main, comme s'il s'apprêtait à tirer sur le photographe. Cliff l'avait décrit comme étant dur et froid, et Maggie le croyait sans peine. Mais cela n'expliquait pas le trouble de Louella. Ni celui qui envahissait Maggie lorsqu'elle regardait cette photo.

Comme elle se remettait à l'étudier, une voiture s'approcha de la maison.

Décidément, un ennui ne venait jamais seul, se dit-elle en apercevant le pick-up de Cliff. Un frisson d'excitation la parcourut. Cependant, elle se rembrunit. Une femme qui faisait deux fois la même erreur ne méritait aucune considération. Empoignant son pinceau, Maggie se remit à peindre. Qu'il frappe à la porte jusqu'à épuisement, elle avait son travail à achever.

Les minutes s'égrenèrent et Cliff ne vint pas. Maggie poursuivit sa tâche en tentant de se persuader que ce qu'il faisait dehors ne l'intéressait pas. La curiosité, cependant, fut la plus forte. Elle se pencha à la fenêtre, ne vit rien, mais tacha son jean de peinture. Furieuse, elle frotta la jambe du pantalon avec un chiffon, ce qui eut pour effet d'étaler la couleur sur le devant de la cuisse.

Au diable Cliff Delaney ! Que pouvait-il bien faire dans son jardin ? Après tout, elle était parfaitement en droit d'aller y voir de plus près. En ne s'annonçant pas, il l'avait privée du plaisir de l'ignorer.

Maggie sortit sous le porche mais ne l'aperçut pas sur la pelouse où il aurait dû inspecter les petits brins verts qui commençaient à poindre. Cliff ne se trouvait pas non plus près du tertre. Elle fit lentement le tour de la maison. Rien. Un mouvement furtif attira soudain son attention. Près du ravin. Un instant, une peur panique l'envahit, de vieilles histoires de revenants lui montèrent à l'esprit. C'était Cliff. Non seulement il se glissait chez elle sans autorisation, mais il trouvait en plus le moyen de l'affoler en jouant au fantôme !

Maggie s'approcha sans bruit, puis s'immobilisa, livide. Cliff creusait la terre rocailleuse au pied de la pente ! Elle le vit se pencher et mettre la main dans le trou... Il n'allait tout de même pas déterrer un autre squelette ! Et si c'était le cas ? Comment savait-il où chercher ? Lentement, il tira à lui une grosse pierre qu'il jeta un peu plus loin.

Le soupir de soulagement de Maggie dut s'entendre à des kilomètres. C'est alors qu'elle remarqua le jeune saule. Cliff le souleva et introduisit avec précaution l'enchevêtrement de racines dans l'excavation. Il avait retiré sa chemise pour travailler plus à l'aise, et les muscles de son dos saillirent lorsqu'il empoigna la pelle et commença à combler le trou. Ce spectacle troubla Maggie. Mais ce n'était pas le moment de se laisser aller.

— Que faites-vous ?

Il continua à travailler sans se retourner. Le son de sa voix ne l'avait même pas fait sursauter. Cet homme possédait des nerfs d'acier, ou il l'avait entendue venir.

— Je plante un arbre.

Maggie plissa légèrement les yeux, gagnée par une colère sourde.

— Je le vois bien. Je ne me souviens pas vous avoir commandé un saule.

— Non, dit-il en s'agenouillant et en tassant la terre à la main. C'est gratuit.

— Pourquoi planter un arbre que je n'ai pas acheté ?

Cliff ne répondit pas immédiatement. Lorsqu'il s'estima satisfait de son travail, il se leva et recula de quelques pas pour juger de l'effet. Ensuite, il se retourna lentement. Appuyé sur sa pelle, il l'observa. Non, elle tenait toujours autant de place dans son cœur. Ne pas la revoir n'avait rien changé. Au fond, il l'avait toujours su, mais il fallait bien essayer.

— C'est ce qu'on appelle une offre de paix, finit-il par dire.

Maggie ouvrit la bouche, puis la referma. Elle contempla l'arbre. Comme il était fragile ! Un jour, pourtant, ses branches retomberaient au-dessus des eaux de l'étang, et... Que lui arrivait-il ? C'était la première fois qu'elle pensait à l'achèvement des travaux depuis sa découverte macabre. Cliff l'avait certainement fait exprès, pour qu'elle retrouve un peu de sérénité. Sa colère s'évanouit aussi vite qu'elle était venue.

— Une offre de paix ? répéta-t-elle.

Sa voix était encore froide, mais Cliff aperçut de la chaleur dans ses yeux. Combien d'hommes avait-elle poignardés d'un seul coup d'œil ?

— Peut-être, déclara-t-il en plantant la pelle dans le sol. N'avez-vous rien à m'offrir à boire ? Quelque chose de bien frais.

C'était sa manière de s'excuser, décida Maggie, la seule qu'un homme tel que lui pouvait trouver. Il ne lui fallut que cinq secondes pour accepter.

— Bien sûr, dit-elle en reprenant le chemin de la maison.

Il la suivit aussitôt, ce qui la fit sourire.

— Vos hommes ont réalisé de l'excellent travail. Je suis impatiente de voir le résultat, surtout sur le tertre.

— Dans quatre ou cinq jours il commencera à se couvrir de jeunes pousses, et d'ici la fin de l'été il disparaîtra sous la végétation.

Les mains dans les poches, il contempla un instant le mur de retenue.

— Avez-vous été très occupée ?

— Pas mal, oui. Il y a tant à faire dans la maison.

— Avez-vous vu les journaux ?

— Non. Pourquoi ?

Cliff haussa les épaules et lui tint la porte ouverte.

— Ils ne parlent que de la découverte des restes de William Morgan sur sa propre terre. Une terre achetée récemment par un compositeur célèbre.

Maggie se retourna brusquement.

— Je suis citée ?

— Oui, plusieurs fois.

— Zut ! s'exclama-t-elle en se laissant tomber sur une chaise. J'aurais tant voulu éviter cela. Ce n'est que le journal local, j'espère ?

Cliff, qui cherchait un soda dans le réfrigérateur, se releva.

— Il n'y a pas de journal à Morganville. C'est en première page dans tous les quotidiens de l'Etat.

Il désigna le téléphone décroché.

— Si vous n'aviez pas fait cela, vous auriez eu à répondre à de nombreux coups de fil de la part des journalistes.

« Et aux miens », pensa-t-il. Durant les dernières vingt-quatre heures, il l'avait appelée une bonne douzaine de fois.

— C'est votre façon de fuir ?

— Pourquoi fuirais-je ? N'est-ce pas vous qui disiez que cette affaire ne me concerne pas ?

— C'est vrai. Mais vous tentiez peut-être d'échapper à autre chose.

Il accrocha son regard.

— Vous cachiez-vous de moi, Maggie ?

— Certainement pas ! Je vous ai dit que j'étais très occupée.

— Trop pour répondre à un appel.

Maggie remit le combiné en place violemment.

— Le téléphone me distrait. Maintenant, si vous cherchez une dispute, vous pouvez reprendre votre offre de paix et...

Elle fut interrompue par la sonnerie. Mais avant qu'elle ait le temps de répondre, Cliff décrocha.

— Oui ?

Il écouta un instant, ignorant le regard furibond de Maggie.

— Je suis désolé, Miss Fitzgerald est très occupée, elle ne peut pas prendre de communication.

Lorsqu'il replaça le récepteur, Maggie éclata.

— Je suis assez grande pour décider si je dois répondre ou pas !

— Je voulais vous éviter une de ces distractions qui vous empêchent de travailler.

Comme elle ouvrait la bouche pour protester, la sonnerie retentit de nouveau dans la cuisine. Maggie se précipita, le bousculant au passage.

— N'y touchez pas ! hurla-t-elle. Allô !

— Bon Dieu, Maggie, tu as encore décroché ton téléphone !

Elle laissa échapper un soupir de soulagement. Ce n'était pas un journaliste.

— Salut, C.J., comment vas-tu ?

— Tu oses me le demander !

Maggie posa la main sur le récepteur.

— Inutile de rester là à écouter, dit-elle à Cliff.

Il but une longue gorgée puis s'installa confortablement sur une chaise.

— Votre conversation ne me dérange pas.

— Maggie ! A qui parles-tu ?

— A personne, répondit-elle en tournant délibérément le dos à Cliff. Comment te portes-tu ?

— Mal, très mal. J'essaie de te joindre depuis deux jours. Pourquoi as-tu cru bon de décrocher ce maudit appareil ?

— Sans doute pour qu'on ne puisse pas me téléphoner.

— J'ai failli télégraphier, mais je n'étais pas certain qu'on délivre les télégrammes dans ton bled. Que deviens-tu ? Que fais-tu ?

— Je travaille. Et lorsque c'est le cas, je n'aime pas être dérangée. Si je me suis installée ici, c'est pour être tranquille. Malheureusement, certains ne l'ont pas encore compris.

C.J. prit une poignée de calmants sur son bureau et l'avala, déglutissant péniblement.

— Tu n'es pas très gentille, geignit-il. La moitié du pays s'inquiète pour toi et...

— Qu'ils aillent au diable ! Je vais très bien.

— Tu as l'air, en effet, d'excellente humeur.

Maggie fit un effort pour retrouver son calme. Quand elle se disputait avec C.J., c'était lui qui avait toujours le dernier mot.

— Je suis désolée, C.J., mais je suis fatiguée d'être sans cesse critiquée.

— Mais je ne te critique pas, mon chou. Je suis seulement follement inquiet. Pour l'amour de Dieu, Maggie, comprends-moi. Si tu savais ce que racontent les journaux !

Elle se raidit et se tourna machinalement vers Cliff. Il la dévisagea, tendu, la bouteille de soda serrée dans la main.

— Les journaux ?

— Mais oui ! Au sujet de cet homme, ou de ce qu'il en reste, qu'on a déterré dans ton jardin. Bon Dieu, Maggie, j'ai presque eu une crise cardiaque. Et lorsque je n'ai pu te joindre...

Elle l'entendit tousser. Il avait dû avaler une de ses pilules de travers.

— Je suis navrée, C.J. Je ne pensais pas que la nouvelle arriverait jusqu'à toi.

— En partant du principe que ce que j'ignore ne peut me faire de mal ?

Elle sourit à son ton offensé.

— Oui, c'est à peu près ça. Je t'aurais téléphoné moi-même si j'avais pu prévoir que la nouvelle se répandrait aussi vite.

— Malheureuse ! Mais tout ce qui te concerne fait toujours la une des journaux, et des deux côtés de l'Atlantique. Je connais mon boulot, quand même !

Maggie se frotta la tempe d'un doigt nerveux. Elle se sentait lasse.

— C'est bien pourquoi j'ai décidé de m'établir ici.

— L'endroit où tu vis n'y changera rien.

Elle soupira.

— Je commence à en avoir l'impression.

C.J. se frappa le front et regretta aussitôt son geste. Ce qu'il lui fallait, maintenant, c'était un grand verre de Perrier, ou de whisky. Oui, du scotch.

— Je n'ai pas lu les journaux, reprit Maggie, mais je suis certaine qu'ils exagèrent.

— Ils exagèrent !

Elle dut écarter le récepteur de son oreille. Cliff, bien qu'installé à l'autre bout de la pièce, entendait clairement ce que disait C.J.

— As-tu trouvé, oui ou non, un tas de... d'ossements ?

Elle fit la grimace au souvenir de ce moment pénible.

— Ce n'est pas moi, mais ton chien. Enfin, celui que tu m'as offert. La police est arrivée immédiatement et s'est occupée de tout. Tu vois bien, cela ne me concerne pas.

Elle vit Cliff sourire et haussa les épaules.

— Mais on raconte que l'homme a été assassiné et enterré sur place. A quelques pas seulement de ta maison !

— C'était il y a dix ans, C.J.

Maggie appuya plus fort sur sa tempe. Elle allait avoir une migraine.

— Maggie, reviens ! Rentre chez toi.

— Je suis ici chez moi, C.J.

— Mais bon Dieu, comment veux-tu que je trouve le sommeil quand je te sais perdue dans ce désert ? Pour l'amour du Ciel, mon chou, reviens. Comment le compositeur le plus célèbre et le plus riche du monde peut-il vivre dans un bled pareil ?

— C'est justement parce que je suis riche et célèbre que je peux vivre où bon me semble. Et puis, je ne risque rien depuis que tu m'as envoyé ce terrifiant chien de garde.

Tueur dormait paisiblement sur les pieds de Cliff, ce qui la fit sourire.

— Tu devrais engager un garde du corps.

Maggie éclata de rire.

— Ne recommence pas à te conduire comme une petite vieille, C.J. ! Je n'ai pas besoin d'un garde du corps. Je vais bien. Tout va bien ! J'ai terminé la musique du film et j'ai des douzaines d'idées de chansons en tête. J'ai même envie de m'attaquer à une autre comédie musicale. Comment as-tu trouvé la bande que je t'ai expédiée ? Tu pourrais au moins me féliciter, non ?

— C'est probablement ce que tu as écrit de mieux depuis que je te connais, grommela-t-il.

— Dis-m'en plus ! Je suis affamée de compliments.

Elle l'entendit soupirer au bout de la ligne.

— Lorsque je l'ai fait entendre aux producteurs, ils se sont extasiés. Ils ont aussitôt suggéré que tu reviennes pour superviser l'enregistrement.

— Pas question !

— Bon Dieu, Maggie ! Nous viendrions bien, mais il n'y a pas de studios à Ploucville, je me suis renseigné.

— Morganville, le corrigea-t-elle. Vous n'avez pas besoin de moi pour l'enregistrement.

— Ils désirent que tu chantes la chanson du générique.

— Quoi ? Mais vous êtes tombés sur la tête !

— Ecoute-moi avant de refuser.

C.J. avala une autre poignée de pilules, puis il prit sa voix des jours de négociations difficiles.

— Je sais que tu as toujours refusé de chanter

sur scène ou d'enregistrer, aussi n'ai-je jamais insisté. Mais cette fois c'est différent. Maggie, cette chanson... c'est de la dynamite ! Personne ne pourra y mettre les sentiments que tu décris. Après l'avoir entendue, ils avaient tous besoin d'une douche froide.

Elle éclata de rire, mais l'idée faisait son chemin.

— Il y a au moins une demi-douzaine d'artistes qui pourraient l'interpréter, C.J. Vous n'avez pas besoin de moi.

— Il y en a plusieurs douzaines, mais ils ne le feraient pas comme toi. Cette chanson est pour toi, Maggie. Réfléchis encore avant de dire non.

Elle préféra ne pas envenimer la conversation.

— D'accord, j'y penserai.

— Donne-moi une réponse d'ici une semaine.

— C.J !

— Bon, bon, disons deux semaines.

— Parfait. Je suis désolée pour le téléphone.

— Tu pourrais au moins t'acheter un de ces horribles répondeurs.

— C'est une bonne idée. Prends bien soin de toi, C.J.

— Je ne fais que ça. Si tu pouvais suivre tes propres conseils...

— Je ne fais que ça. Au revoir.

Elle raccrocha en soupirant.

— J'ai l'impression d'avoir reçu un savon du surveillant général de mon lycée.

Cliff la regarda jouer avec un torchon qu'elle finit par laisser retomber sur la table.

— Arrivez-vous toujours à en obtenir ce que vous voulez aussi facilement ?

— J'ai une longue habitude.

— Que veulent dire C. et J. ?

— Complètement Jobard, murmura-t-elle, puis elle secoua la tête. Pour vous dire la vérité, je n'en sais rien.

— Il est toujours aussi collant ?

— Toujours. Mais d'un autre côté... La nouvelle est parvenue aux journaux californiens. Lorsqu'il n'a pu me joindre...

— Comme vous êtes tendue.

— Ce n'est pas vrai.

— C'est vrai. Cela se voit et se sent.

Il avança la main et caressa lentement son cou, puis son épaule.

— Moi, je le sens, murmura-t-il.

Ce contact la bouleversa.

— Ne faites pas cela.

— Quoi ? Vous toucher ? C'est trop tentant.

Malgré ses bonnes résolutions, elle commençait déjà à faiblir.

— Essayez de vous retenir, lui conseilla-t-elle en le repoussant.

— C'est ce que je fais depuis quelques jours. Or cet effort ne mène à rien. En revanche, si je consacrais la même énergie à vous aimer...

Maggie frissonna longuement, incapable de raisonner sainement, le souffle court.

— Cela ne peut rien nous apporter.

— Ne dites pas de bêtise.

Il se mit à masser sa tempe, à l'endroit qu'elle frottait en répondant au téléphone, et Maggie laissa échapper un soupir.

— Faire l'amour est...

— Une chose bien agréable, compléta-t-il avant d'effleurer sa bouche de la sienne.

— Mais nous partagerons le même lit, rien de plus.

Cliff aurait bien voulu que ce soit seulement cela. S'il y avait plus entre eux, il se trouverait lié à une femme à laquelle il ne comprenait rien, jusqu'à la fin de ses jours. Un simple désir physique. Cela ne portait pas à conséquence.

— Votre peau est tiède. Je sens votre cœur battre contre la paume de ma main.

— Cliff ! Prenez-moi. Ici. Maintenant !

Ils glissèrent sur le sol.

Se débarrasser de leurs vêtements ne fit qu'augmenter leur désir. Tiédeur contre tiédeur.

Lorsque le téléphone sonna, ils ne l'entendirent pas. Plus rien ne comptait au monde qu'eux.

Un tremblement, un gémissement, une caresse, une odeur, le déchaînement de la passion. C'était cela leur monde, maintenant. Le carrelage était dur et doux à la fois, glacé et brûlant. Ils s'y roulèrent. Un rayon de soleil se posa sur leurs corps nus. Ils se connaissaient au toucher, aujourd'hui ils pouvaient enfin se contempler.

Se posséder, ne faire qu'un, brûler du même désir, se consumer de passion. Une passion folle. Le désir était folie.

La tension monta lentement pour commencer, puis atteignit bientôt des sommets. Ce devait être ça le septième ciel.

Tout chavira. La chute, le néant, l'apaisement.

Chapitre 9

Combien de temps s'était écoulé ? Cliff essaya de deviner l'heure à la position du soleil, puis y renonça. Il était bien, trop bien. Au lieu de se sentir épuisé, il était revigoré. Il tourna la tête et observa Maggie qui dormait à ses côtés. Bien que son esprit soit encore embrumé, il se souvenait de l'avoir portée jusqu'à sa chambre. Là, ils s'étaient écroulés sur le lit.

Sur le sol de la cuisine. Comment avaient-ils pu ? Ils avaient fait l'amour sur le carrelage, comme deux adolescents pris d'une folie subite. A trente ans, un homme devait être capable de mieux se contrôler, de montrer plus de finesse. Pourtant, chaque fois qu'il avait tenu Maggie dans ses bras, il s'était conduit comme un sauvage. Et il n'était pas certain de pouvoir s'amender, même s'ils devaient s'aimer des centaines de fois. Maggie possédait le pouvoir de le déchaîner.

Parce qu'elle dormait et ne pouvait le voir, il repoussa doucement ses cheveux et la dévisagea. La regarder était devenu une habitude dont il aurait du mal à se passer. Il fut soudain envahi d'un étrange sentiment de tendresse. Etrange parce que c'était la première fois qu'une femme lui donnait l'envie de la protéger. Curieusement, cela le mit mal à l'aise.

Maggie, dans son sommeil, semblait terriblement frêle et sans défense. Or Cliff n'avait jamais su résister à la fragilité. Lorsqu'elle était dans ses bras, il en allait tout autrement, elle devenait lave incandescente, paraissait indestructible. A cela non plus il ne pouvait résister.

Qui était au juste Maggie Fitzgerald? se demanda-t-il en passant doucement le bout du doigt sur ses lèvres. Elle n'était pas belle selon les canons de la mode, mais son visage était de ceux qui hantaient un homme. Il ne s'était pas attendu à trouver de la gentillesse ou de la compassion en elle, pourtant, elle possédait ces deux qualités. De même, Cliff n'aurait jamais pensé qu'elle puisse se débrouiller seule, ce qu'elle ne cessait de réussir malgré l'expérience difficile qu'elle venait de vivre.

Il fronça les sourcils et la serra contre lui d'un geste machinal. Maggie murmura un ou deux mots sans signification mais ne se réveilla pas. Bien que Cliff lui ait déclaré qu'elle ne devait pas se sentir concernée par des événements survenus dix ans plus tôt, il n'aimait pas la savoir seule dans cette grande bâtisse isolée. Le fait que Morganville et ses environs constituent une communauté bien tranquille n'y changeait rien. Leur macabre découverte était là pour le prouver.

Celui ou celle qui avait assassiné William Morgan était resté impuni durant une décade, s'était promené en ville, avait bavardé avec ses voisins, assistait probablement aux matches de base-ball... Il n'était pas très agréable de penser qu'ayant tué une fois, il n'hésiterait pas à recommencer pour protéger sa quiétude, son renom et sa place dans la société. Et ne disait-on pas que l'assassin revenait toujours sur les lieux de son crime ? Pour une fois, Cliff croyait en un cliché.

Lorsque Maggie se réveilla, elle était seule. Pleine de langueur, elle toucha le drap, là où aurait dû se trouver Cliff. Il était encore tiède.

Ils s'étaient aimés sur le carrelage de la cuisine !

Comment se trouvait-elle dans son lit ?

Fermant les yeux, Maggie rassembla ses souvenirs. Cliff l'avait portée jusqu'à sa chambre, avec des précautions infinies, comme s'il s'agissait de son bien le plus précieux.

Pourtant, il l'avait quittée sans un mot.

Il était temps qu'elle redevienne adulte. Depuis le début de leur liaison tumultueuse, Maggie savait qu'il ne s'agissait pas de sentiments mais de désir. Les beaux sentiments, réservés aux naïfs, aux faibles, pouvaient blesser. Il y avait longtemps qu'elle cherchait à s'en protéger.

Cliff ne l'aimait pas. Maggie n'aimait pas Cliff. C'était mieux ainsi. Pourtant... Non, elle ne l'aimait pas, elle ne pouvait pas se le permettre.

C'était un homme dur, impatient, intolérant. Une femme ne devait pas s'attacher à un homme pareil. D'ailleurs, il avait clairement laissé entendre que seul son corps l'intéressait. Et Maggie s'était donnée à lui deux fois. Elle n'avait donc pas le droit de regretter, bien qu'il l'ait quittée sans un mot.

Un craquement. Juste au-dessus de sa tête. Maggie resta parfaitement immobile, retenant sa respiration. Une illusion ? Au deuxième, elle paniqua. Elle était réveillée, c'était le milieu de l'après-midi et le bruit provenait du grenier, pas de son imagination.

Bien qu'elle tremblât de tous ses membres, elle se leva. Aujourd'hui, pas question de rester enfermée dans sa chambre pendant qu'on fouillait la maison.

Maggie enfila un tee-shirt et s'empara du tisonnier. Cette fois, elle voulait savoir de qui il s'agissait et ce que désirait l'intrus.

L'escalier du grenier se trouvait sur la droite. Lorsqu'elle aperçut la porte entrebâillée, en haut des marches, la peur la reprit. Mais elle ne recula pas. Serrant le tisonnier, elle gravit lentement les degrés.

Sur le seuil, Maggie hésita. Quelqu'un bougeait, à l'intérieur en prenant mille précautions pour ne pas être entendu. Avalant sa salive, elle poussa la porte.

— Bon Dieu, Maggie, vous pourriez blesser quelqu'un avec cet instrument.

Elle fit un bond et se cogna au battant.

— Que cherchez-vous ici ? demanda-t-elle à Cliff qui l'observait en souriant.

— Une petite vérification. Quand êtes-vous montée au grenier pour la dernière fois ?

Maggie lâcha un long soupir. Il lui avait fait une peur !

— Jamais. Cet endroit vient en dernier sur ma liste de priorités. Je n'avais d'ailleurs rien à y faire.

— Quelqu'un y est venu.

Maggie regarda autour d'elle. Comme elle s'y attendait, il y avait surtout de la poussière et des toiles d'araignées. Au centre de la pièce, le toit était suffisamment élevé pour que Cliff puisse se tenir droit, mais sur les côtés il descendait jusqu'au niveau du plancher. Elle aperçut un vieux fauteuil à bascule qui pouvait encore être utilisé, à condition d'être réparé, un sofa défoncé bon à jeter, deux lampadaires sans abat-jour et une énorme malle de voyage.

— On dirait pourtant que personne n'est monté ici depuis des années.

— Je dirais environ une semaine. Regardez par là.

Il se dirigea vers la malle, et Maggie le suivit, pieds nus dans la poussière.

— Je ne vois rien. Joyce m'avait dit qu'elle laisserait quelques vieilleries au grenier, et je comptais m'en débarrasser plus tard, lorsque le reste de la maison serait achevé.

— Il semble que quelqu'un se soit servi avant que vous ne puissiez décider si ce bric-à-brac était encore utilisable.

Il s'accroupit devant la malle et pointa du doigt. Maggie se pencha et vit, sur le couvercle, près de la serrure, une empreinte de main dans la poussière.

— Mais...

Cliff écarta sa main au moment où elle allait toucher.

— Je ne ferais pas cela si j'étais vous.

— Quelqu'un était là, murmura Maggie. Je n'arrive pas à y croire.

Essayant de conserver son calme, elle détailla

une nouvelle fois le pauvre ameublement abandonné par Joyce.

— Je me demande ce qu'on pouvait chercher ici.

— Excellente question.

Cliff se releva mais conserva sa main dans la sienne. Maggie se força à sourire. Elle ne désirait pas faire un drame de cette autre découverte.

— Et si vous me donniez une bonne réponse ?

— Je crois que c'est au shérif de la fournir.

— Vous pensez que ceci a un rapport avec...

Sa voix était calme, mais Cliff sentit sa main trembler.

— Je ne sais pas. Avouez cependant que la coïncidence est pour le moins étrange.

Il ne s'agissait plus d'un événement vieux de dix ans.

— Je vais appeler le shérif, déclara-t-elle.

— Laissez-moi m'en occuper.

Maggie redressa le menton, prête à s'enflammer.

— C'est ma maison !

— Parfaitement exact. Mais si vous recevez Stan dans cette tenue, il sera dans l'impossibilité de...

Maggie devint écarlate. Son tee-shirt laissait nu le bas de son corps. Avec le tisonnier qu'elle n'avait pas lâché, elle devait avoir une drôle d'allure.

— Vous êtes très amusant !

— Vous, vous êtes très belle.

Il l'embrassa légèrement sur la bouche.

— Allez au moins enfiler un pantalon, lui conseilla-t-il en riant. Pendant ce temps, j'alerterai la loi.

Sans plus attendre, il dévala l'escalier. Figée, Maggie passa lentement un doigt sur ses lèvres. Le premier baiser réellement tendre qu'il lui donnait !

Abandonnant son arme contre la porte, elle gagna sa chambre. Elle n'imaginait pas que Cliff puisse embrasser de cette façon, avec tant de délicatesse. Cette nouvelle manière d'agir la laissait sans défense.

Elle était prête à répondre à une passion agressive. Mais cela... Que se passerait-il s'il recommençait ? Une femme pouvait parfaitement tomber amoureuse d'un homme qui embrassait de la sorte.

Maggie se reprit. Certaines femmes, mais pas elle. Elle enfila un jean à la hâte. Non, elle ne serait pas amoureuse de Cliff Delaney. Ce n'était pas l'homme qui lui convenait. Il ne désirait que...

C'est alors qu'elle se souvint qu'il ne l'avait pas quittée sans un mot. Il ne l'avait pas quittée du tout.

— Maggie !

L'appel la fit sursauter.

— Oui ?

— Stan est en route.

— J'arrive.

Dans une minute. Pour l'instant, ses jambes ne la portaient plus. Elle se laissa tomber sur le lit.

Amoureuse de Cliff ! Etait-il encore temps d'agir ? Non, c'était trop tard. Elle aurait dû s'enfuir dès le premier jour, lorsqu'elle l'avait aperçu pour la première fois.

Et maintenant ? Elle aimait un homme dont elle ignorait tout, qu'elle comprenait mal et qu'elle n'appréciait guère la plupart du temps. Quant à lui, il ne la comprenait pas du tout et ne semblait pas s'en inquiéter.

Pourtant, il avait planté un saule dans son jardin. Finalement, il était peut-être moins insensible qu'il y paraissait. Au fond, elle n'avait guère le choix. Suivre les élans de son cœur était encore la meilleure solution.

En bas, tout était calme. Maggie trouva Cliff dans la cuisine ; il préparait du café. Un instant, elle se demanda si elle devait se montrer ennuyée ou heureuse qu'il se conduise comme chez lui. Incapable de décider, elle s'approcha.

— Un peu de café ? lui proposa-t-il.

— Avec plaisir. Vous n'avez pas eu trop de difficultés pour trouver ce dont vous aviez besoin ?

Ignorant le sarcasme, il la servit.

— Non... J'ai remarqué que vous n'aviez pas déjeuné.

— Je ne prends généralement rien à midi.

— Moi, oui, dit-il simplement.

Avec un naturel qui frisait l'arrogance, Cliff ouvrit le réfrigérateur et commença à inventorier son contenu.

— Servez-vous donc ! ronchonna Maggie avant de se brûler la langue.

— Vous devriez apprendre à faire des provisions. En hiver, nous restons parfois bloqués une semaine par la neige.

— Je tâcherai de me souvenir de cet excellent conseil.

— Vous arrivez à avaler ça ? demanda-t-il en sortant un pot de yaourt.

— J'aime les laitages.

Maggie s'approcha du réfrigérateur avec l'intention d'en claquer la porte, que Cliff ait la main dedans ou non. Mais il s'empara d'une cuisse de poulet solitaire et se retira à temps.

— Vous êtes en train de dévorer mon dîner, lui fit-elle remarquer.

— Vous en voulez un peu ?

— Non !

— C'est drôle, mais le fait de me trouver dans une cuisine m'ouvre toujours l'appétit.

Elle lui adressa un coup d'œil meurtrier, consciente de se trouver à l'endroit exact où ils avaient fait l'amour un peu plus tôt dans la journée. S'il essayait de la provoquer, c'était une grande réussite. S'il voulait la distraire de leur découverte au grenier, c'était également un succès. D'une manière ou d'une autre, Maggie était incapable de lui résister.

Elle commença à caresser son torse. Il était grand temps de le traiter comme il la traitait.

— J'ai peut-être faim, après tout, murmura-t-elle avant de se dresser sur la pointe des pieds et d'effleurer ses lèvres des siennes.

Parce qu'il ne s'attendait pas à cela de sa part, Cliff ne sut que dire. Au départ, c'était lui qui avait tout fait pour la séduire. Maggie était la princesse, l'être inaccessible. Maintenant, en plongeant son regard dans ses grands yeux, il se demandait si elle n'était pas plutôt un peu sorcière. Qui séduisait qui ? Cette femme le terrifiait. Elle possédait un pouvoir contre lequel il ne pouvait lutter.

— Maggie...

Tueur se mit à aboyer bien avant qu'ils entendent approcher la voiture.

— Ce doit être Stan.

— Oui.

— Vous devriez aller lui ouvrir.

— D'accord. Venez-vous avec moi ?

— Dans une minute.

Après son départ, il poussa un long soupir. Il l'avait échappé belle. L'appétit coupé, il abandonna le pilon et empoigna sa tasse. Ses mains tremblaient. Furieux, il avala son café d'une gorgée et se brûla la langue à son tour.

Le shérif attendait sous le porche. Cliff se trouvait dans la cuisine, avec l'air d'un homme que l'on vient de frapper entre les deux yeux. Maggie se sentait étrangement légère. Qu'allait-il se passer maintenant ? Vivre à la campagne n'était finalement pas aussi reposant qu'on le prétendait.

— Miss Fitzgerald.

— Bonjour, shérif.

Elle prit Tueur dans ses bras, et il cessa d'aboyer.

— Cliff m'a téléphoné pour m'apprendre que quelqu'un s'était introduit chez vous.

— C'est la seule explication logique, déclara-t-elle en se débattant entre le chiot et la porte récalcitrante. Mais je n'arrive pas à comprendre pourquoi. Il semble qu'un inconnu ait fouillé le grenier la semaine dernière.

Stan ferma la porte lui-même, puis il s'y adossa et se mit à jouer avec la crosse de son arme.

— Si cela date d'une semaine, pourquoi ne pas m'avoir prévenu ?

Un peu gênée, Maggie déposa le chiot sur le sol

et lui donna une poussée qui l'envoya bouler jusqu'à la salle de musique.

— Je me suis réveillée au milieu de la nuit et j'ai entendu des bruits. Sur le moment, j'ai eu peur, mais le lendemain matin...

Elle fit une pause et haussa les épaules.

— J'ai cru que c'était un tour de mon imagination. Aussi, ai-je plus ou moins oublié l'incident.

Stan hocha la tête, indiquant qu'il la comprenait.

— Et maintenant ?

— J'en ai parlé à Cliff... ce matin. Il a trouvé l'incident curieux et a fouillé le grenier.

Elle avait failli dire l'autre nuit et s'était reprise juste à temps.

— Je vois.

Elle eut l'impression qu'il ne voyait que trop bien.

— Salut, Stan ! s'exclama Cliff en sortant de la cuisine, très à l'aise. Merci d'être venu.

C'est ça qu'elle aurait dû commencer par dire !

— Je ne fais que mon devoir, Cliff. J'ai vu le jardin, en passant, tu as fait du bon boulot.

— Oui, ça vient bien.

— Tu as toujours adoré les défis, dit le shérif en souriant.

Cliff comprit que Stan parlait autant de la femme que du jardin.

— Sans eux, la vie serait monotone, répondit-il d'une voix neutre.

— On m'a dit que tu avais trouvé quelque chose dans le grenier.

— Assez pour qu'il soit nécessaire de te déranger. Je crois que quelqu'un s'est introduit dans la maison.

— Je ferais bien d'aller voir.

Maggie soupira. Toute la conversation se passait comme si elle n'existait pas.

— Je vais vous montrer, intervint-elle.

Lorsqu'ils arrivèrent à la porte du grenier, Stan remarqua le tisonnier.

— Quelqu'un pourrait se prendre les pieds dedans, remarqua Stan.

— J'ai dû l'oublier là, murmura-t-elle en ignorant le sourire de Cliff.

— On ne croirait jamais que l'on a pénétré ici, dit Stan en écartant une toile d'araignée.

— Je n'y étais jamais montée avant aujourd'hui.

Elle n'osa préciser que c'était par peur de se trouver face à une souris ou une araignée.

— Comment savez-vous qu'il manque quelque chose ?

— Je n'en sais rien. Venez voir.

Cette fois, ce fut elle qui s'accroupit et pointa le doigt.

Stan se pencha. Il était si proche qu'elle sentit l'eau de toilette bon marché qu'il employait. Elle la reconnut, et une vague de nostalgie la submergea. C'était celle qu'utilisait le chauffeur de sa mère dans le temps. Ce souvenir ne fit que renforcer la confiance qu'elle avait en lui.

— C'est curieux, murmura Stan. Avez-vous ouvert la malle ?

— Nous n'y avons pas touché, déclara Cliff derrière eux.

Stan hocha la tête et essaya d'ouvrir, en

prenant bien soin de ne pas poser la main sur l'empreinte.

— Elle est fermée.

Il s'accroupit à son tour.

— Je ne me souviens pas de ce qu'elle contient, et j'ignore où se trouve la clef. Joyce doit le savoir. Ou Louella.

Secouant la tête, il se releva.

— Je ne vois pas ce que quelqu'un pourrait bien chercher là-dedans. Surtout maintenant que la maison est occupée. Quand je pense qu'elle a été inhabitée pendant dix ans...

Il se tourna vers Maggie.

— Etes-vous certaine que rien ne manque dans la maison ?

— Oui. Enfin, je crois. La plupart de mes affaires sont encore dans des cartons.

— Pourriez-vous vérifier ?

— D'accord.

Maggie descendit aussitôt à l'étage et se mit à chercher. Au fond, elle aurait bien voulu qu'il manque quelque chose. Cette visite nocturne aurait alors un sens. La trace de main sur la malle fermée la mettait mal à l'aise.

Suivie des deux hommes, elle se rendit dans sa chambre et compta ses bijoux. Ils étaient tous là. Dans la chambre suivante, les cartons étaient encore ficelés.

— C'est tout, dit-elle. Il y a aussi des cartons en bas et quelques tableaux que je n'ai pas eu le temps de faire encadrer.

— Allons voir.

Pendant que Maggie descendait l'escalier, Cliff prit le bras de Stan.

— Je n'aime pas cela. Tu sais aussi bien que moi que rien ne manque.

— Un cambriolage est la seule explication logique, Cliff.

— Depuis que nous avons commencé à creuser dans le ravin, rien n'est logique.

Stan soupira et suivit Maggie.

— Je sais.

— Vas-tu parler de tout cela à Joyce ?

— J'y serai peut-être obligé.

Au bas de l'escalier, Stan se passa la main sur la nuque, comme pour en chasser la tension ou la fatigue.

— Joyce est solide, Cliff. Je ne le savais pas avant que cette affaire se déclenche. Lorsque nous nous sommes mariés, beaucoup ont cru que je l'épousais pour l'héritage.

— Pas ceux qui te connaissaient bien.

Stan haussa les épaules.

— De toute façon, ces ragots n'ont pas duré très longtemps. Mais par moments, je me demande si Joyce n'a pas pensé la même chose.

— Si c'était le cas, elle me l'aurait certainement dit.

Stan se mit à rire.

— Oui, tu l'aurais sûrement su.

Maggie sortit de la salle de musique.

— Rien ne manque ici. Il y a encore quelques objets dans le salon, mais...

— Autant vérifier.

Il s'avança et aperçut les pots de peinture alignés contre le mur.

— Vous refaites les peintures ?

— J'avais décidé de repeindre tous les montants aujourd'hui, mais Mme Morgan est passée et...

— Louella est passée ? la coupa Stan.

Voyant qu'il fronçait les sourcils, Maggie s'en voulut de lui avoir parlé de cette visite.

— Elle n'est pas restée bien longtemps. Nous avons seulement regardé les photos qu'elle m'a prêtées.

Ramassant l'enveloppe, elle s'adressa à Cliff.

— Je voulais justement vous montrer un ou deux clichés. Pensez-vous pouvoir planter des rosiers là où ils se trouvaient dans le temps ?

Flanquée des deux hommes, elle commença à regarder les photos. Lorsqu'elle arriva à celle qui représentait William Morgan et Stan, ce dernier poussa un petit cri de surprise.

— Je ne me souvenais pas de celle-là. C'était le jour de l'ouverture de la chasse.

— Elle a été prise par Joyce ?

— Oui.

— Louella m'a dit qu'elle chassait aussi.

— C'est vrai, parce qu'il l'y obligeait. Morgan adorait les armes à feu.

Et il était mort d'un coup de fusil, pensa Maggie.

— Il ne manque rien, shérif.

Il jeta un dernier coup d'œil à la pile de photos et soupira.

— Parfait. Je vais vérifier les portes et les fenêtres pour m'assurer qu'aucune n'a été forcée.

Ce fut au tour de Maggie de soupirer.

— Les portes n'étaient pas verrouillées. Quant aux fenêtres, elles étaient presque toutes ouvertes.

— Je vais quand même faire le tour de la maison.

Après son départ, Maggie se laissa tomber sur le canapé. Cliff, pour s'occuper, alla remonter l'horloge qui se trouvait sur le manteau de la cheminée. Le silence s'éternisa, la tension monta dans la pièce.

Pourquoi venir fouiller dans une vieille malle ? Et Cliff ? Il avait participé à cette découverte comme à la première. Pourquoi l'aimait-elle ? Cela durerait-il ? Comment se conduire, maintenant ?

— Rien n'a été forcé, annonça Stan en revenant. Mais vous feriez bien de prendre l'habitude de fermer vos portes à clef. Vous devriez même changer les serrures.

— Je vais m'installer ici pour quelques jours, déclara brusquement Cliff.

Il ne sembla pas remarquer leurs regards surpris et poursuivit.

— De cette façon, Maggie ne sera plus seule. Malheureusement, ce que le visiteur cherchait a sans doute déjà disparu.

— Il faut que je rentre au bureau, dit Stan.

Lorsqu'il fut parti, Maggie se tourna vers Cliff.

— Que vouliez-vous dire par « m'installer ici » ?

— Evidemment, il faudra acheter des provisions. Votre réfrigérateur est vide et...

— Personne ne vous a invité à prendre vos repas ou à vivre ici ! Faut-il que je vous rappelle que je suis chez moi ?

— Je le sais parfaitement.

— Ne pouviez-vous attendre au moins son

départ ? Maintenant, toute la région va s'imaginer que vous et moi...

— Sommes ce que nous sommes, dit-il en riant. Vous feriez bien de mettre des chaussures si nous devons nous rendre en ville.

— Je n'irai pas en ville et vous ne vous installerez pas ici !

Il se déplaça si rapidement qu'elle n'eut pas le temps de faire un geste. Lui prenant le bras, il la secoua.

— Je ne vous laisserai pas seule dans cette grande maison. En tout cas pas avant que cette affaire soit éclaircie.

— Je suis assez grande pour me défendre.

— Je n'en suis pas si certain. Si vous ne l'êtes pas, vous vous en apercevrez trop tard. Je reste !

En vérité, Maggie n'avait aucune envie de se retrouver seule. Elle avait besoin de Cliff. Trop, à son goût. Puisqu'il insistait, c'était peut-être qu'il tenait plus à elle qu'il ne le laissait entendre.

— Si je vous permets de rester...

— Je reste !

— Si je vous permets de rester, reprit-elle, c'est vous qui préparerez le dîner ce soir.

Il leva un sourcil et sourit.

— Après avoir goûté à votre cuisine, je ne discuterai même pas.

Maggie ignora l'insulte.

— Parfait. Je vais chercher des chaussures.

— Plus tard...

Ils roulèrent sur le canapé.

— Nous avons toute la journée, murmura-t-il.

Chapitre 10

Comme la vie était bizarre ! A peine commençait-elle à s'habituer à vivre seule qu'elle ne l'était déjà plus. Le changement s'était fait sans heurts.

Cliff partait très tôt chaque matin, sans bruit, sans jamais la réveiller. Plus tard, lorsqu'elle descendait à la cuisine, elle trouvait généralement un mot près de la cafetière.

« Le téléphone était encore décroché », ou « Il n'y a presque plus de lait. J'en rapporterai. »

Pas vraiment des lettres d'amour. Un homme comme Cliff n'étalait pas ses sentiments sur du papier. Encore une de ces particularités qui les différenciait.

Il ne faisait d'ailleurs jamais montre de ses sentiments, se contentant d'être impatient et intolérant. Par moments, cependant, il arrivait à Maggie de penser qu'elle parvenait à le toucher, mais il ne se conduisait vraiment pas en amant. Il ne lui apportait jamais de fleurs, mais il avait planté un saule. Il ne prononçait pas un mot gentil, mais elle surprenait parfois cette douceur dans son regard. Il n'était ni poète ni romantique, mais ses yeux intenses en disaient long.

Par-dessus tout, Maggie commençait à le comprendre. Et plus elle le comprenait, plus il devenait difficile de ne pas l'aimer.

Bien qu'elle vive à l'écart de la ville depuis un mois, Maggie commençait également à comprendre la mentalité des habitants de Morganville. Tout ce qu'elle faisait devenait sujet de conversation avant même d'être accompli. Et ses actions étaient immédiatement commentées, chacun donnant son opinion. Cependant, seul le jugement d'une poignée de citoyens comptait. Parmi ceux-ci, Cliff, Stan, la postière et, curieusement, Bog.

Au fond, les gens, ici, réagissaient comme ceux qu'elle fréquentait auparavant en Californie. La seule différence venait du fait qu'à Los Angeles Maggie était une célébrité, alors qu'à Morganville elle n'était qu'une étrangère. Par chance, les citoyens clefs de la ville l'avaient acceptée. Et ce, bien qu'elle vécût dans le péché avec Cliff.

Non, elle ne vivait pas avec lui, se dit-elle en enduisant de colle le plancher de la salle de bains. Cliff n'habitait pas avec elle, il habitait *chez* elle. Il y avait une énorme différence entre ces deux situations. Il ne s'était pas installé à demeure, n'avait pas apporté de bagages, n'avait pas précisé la durée de son séjour. C'était un peu comme recevoir un hôte qu'on ne se sentait pas obligé de distraire ou d'impressionner.

Cliff avait décidé de devenir son garde du corps sans même lui demander son avis. Et la nuit, après le coucher du soleil, quand les bois étaient silencieux, son corps était à lui. Il acceptait sa passion, ses appétits et ses désirs. Un jour, peut-être, il arriverait à accepter également ses émotions. Mais il faudrait qu'il commence par la comprendre comme elle le comprenait maintenant. Sans cela, sans respect, les émotions et le désir s'éteindraient d'eux-mêmes.

Maggie mit un carreau en place et recula pour mieux juger de l'effet. Parfait. Elle commençait à très bien se débrouiller. Si ses pensées n'étaient pas mortes d'avoir été trop arrosées, elle n'aurait connu que des réussites.

Six carreaux étaient posés. Continuerait-elle ou passerait-elle au papier de la chambre à coucher ? Il y restait encore un mur et demi à tapisser. Ensuite, il faudrait penser aux rideaux. Décision difficile. Ayant toujours laissé ce travail à des décorateurs, c'était pour elle une grande première. En tout cas, si elle se trompait, elle n'aurait qu'elle à blâmer. Pensive, Maggie posa la main sur un carreau fêlé et se coupa.

Elle jura, passa la main sous le robinet dans l'espoir d'arrêter le sang qui coulait. C'était un signe. Elle consacrerait sa journée au papier peint, beaucoup moins dangereux. Tueur se mit alors à aboyer, et elle comprit qu'il lui faudrait abandonner son projet pour le moment. De sa fenêtre, elle aperçut la voiture du lieutenant Reiker. Il ne manquait plus que lui !

Pourquoi revenait-il ? Elle lui avait dit tout ce qu'elle savait. Comme il ne s'approchait pas de la maison immédiatement, Maggie ne bougea pas.

Le policier longea le mur de retenue qui soutenait le tertre et s'arrêta au bord du ravin. Il alluma une cigarette et se mit à fumer tranquillement en observant la terre retournée, comme si les réponses aux questions qu'il se posait se trouvaient là. Puis, avant qu'elle ait le temps de réagir, il pivota tout d'une pièce et fixa la fenêtre d'où elle le regardait.

Prise au piège, Maggie, se sentant un peu stupide, sortit et alla à sa rencontre.

— Bonjour, lieutenant.

— Bonjour, Miss Fitzgerald. Votre propriété commence à avoir beaucoup d'allure. Quand on pense à ce qu'elle était il y a quelques semaines...

— Merci.

Il semblait si aimable, tellement inoffensif ! Maggie se demanda de nouveau s'il portait un pistolet sous son bras, comme au cinéma.

— J'ai remarqué que vous aviez planté un saule là-bas, dit-il sans se tourner vers le ravin. Vous pourrez bientôt reprendre les travaux.

Comme le lieutenant, Maggie ne tourna pas la tête.

— Cela signifie-t-il que l'enquête est sur le point d'aboutir ?

Reiker jeta sa cigarette et se gratta le menton.

— Je n'ai pas dit cela. Nous y travaillons toujours.

Elle retint un soupir.

— Allez-vous fouiller le ravin une nouvelle fois ?

— Ce ne sera pas nécessaire. Nous l'avons passé deux fois au peigne fin. Le problème est que...

Il fit une pause et déplaça son poids d'un pied sur l'autre.

— Je n'aime pas les questions restées sans réponses. Plus nous avançons, plus nous trouvons des détails qui ne concordent pas. Il est difficile d'y voir clair, au bout de dix ans.

Etait-ce une visite d'amitié, de bon voisinage, ou était-il là à titre officiel ? Elle se souvint de son air embarrassé lorsqu'il lui avait demandé un autographe. Pour l'instant, elle n'avait pas besoin d'admirateurs.

— Que puis-je pour vous, lieutenant ?

— Je me demandais si vous n'aviez pas remarqué quelqu'un qui rôdait autour de la maison. Un voisin, un inconnu...

— Qui rôdait ?

— C'est ici qu'on a assassiné Morgan, Miss Fitzgerald, et plus nous cherchons, plus nous trouvons des gens qui avaient de bonnes raisons de se débarrasser de lui. La plupart vivent encore dans la région.

Maggie croisa les bras sur sa poitrine.

— Si vous essayez de me faire peur, lieutenant, vous y parvenez parfaitement.

— Ce n'était pas dans mes intentions, Miss, mais vous ne devez pas non plus vous imaginer que tout va bien.

Il hésita, la contempla un instant, et décida de lui faire confiance.

— Nous avons découvert que Morgan a retiré de son compte en banque vingt-cinq mille dollars en liquide le jour de sa disparition. Sa voiture a été retrouvée, puis son corps, ou ce qui en restait, mais pas l'argent.

— Vingt-cinq mille dollars !

Une belle somme, plus importante encore dix ans auparavant.

— Vous pensez que cet argent serait le motif du meurtre ?

— C'est une piste comme une autre. L'argent est très souvent un bon motif. Nous vérifions, mais cela va prendre du temps. Autant que je sache, personne en ville ou dans le comté n'est devenu subitement riche.

Il pêcha une cigarette dans sa poche, hésita, puis la remit dans le paquet.

— J'ai une ou deux idées sur la question.

Maggie eut envie de sourire mais s'abstint. Elle avait de nouveau la migraine.

— Vous désirez m'en faire part ?

— Celui qui a tué Morgan a été assez habile pour brouiller les pistes. Il savait qu'il ne pouvait dépenser vingt-cinq mille dollars dans une aussi petite ville sans faire jaser. Il a sans doute eu peur et s'est débarrassé de l'argent. Mais, d'un autre côté, il l'a peut-être dissimulé en attendant des jours meilleurs. Il suffisait d'attendre quelques années puis de le récupérer.

— Quelques années ? Mais il s'agit de dix ans, lieutenant. C'est bien long.

— Certains sont plus patients que d'autres.

Il haussa les épaules.

— D'ailleurs, ce n'est qu'une théorie.

— L'autre nuit... commença-t-elle.

Elle se tut.

— Qu'est-il arrivé ?

Lui raconter la visite nocturne ajouterait encore à la confusion. Mais comment faire autrement ? Après tout, c'était à lui de décider de l'importance de l'événement.

— Il semble que quelqu'un se soit introduit dans le grenier et ait fouillé une vieille malle. Je ne m'en suis rendu compte que plus tard et j'ai alerté le shérif.

— C'était ce que vous aviez de mieux à faire.

Maggie le vit lever la tête vers la maison.

— Il a trouvé quelque chose ?

— Non. Il n'y avait pas de clef sur la malle. Mais Joyce, sa femme, l'a retrouvée et il est revenu pour l'ouvrir. Elle était vide.

— Cela vous ennuierait si j'y jetais un coup d'œil ?

Résignée, Maggie secoua la tête.

— Pas du tout.

Elle se dirigea vers la maison, suivie du policier.

— Ne trouvez-vous pas bizarre que quelqu'un cache une petite fortune dans cette malle et vienne la récupérer le jour où la maison est occupée ?

— N'oubliez pas que vous avez acheté la propriété très rapidement, avant que quiconque ait le temps de réagir.

— Mais je ne m'y suis installée qu'un mois plus tard.

— Mme Agee, d'après ce qu'on raconte, n'en a parlé qu'après votre déménagement. Surtout parce que son mari n'était pas d'accord.

— Vous semblez au courant de bien des choses, lieutenant.

Il lui adressa un long regard embarrassé, le même que lorsqu'il lui avait demandé un autographe.

— Cela fait partie de mon métier.

Maggie resta silencieuse jusqu'à ce qu'ils arrivent au pied du petit escalier raide qui menait au grenier.

— C'est par là. J'ai vérifié, on n'a rien pris dans la maison.

— Comment est-on entré ?

— Je ne sais pas. A cette époque, je ne verrouillais pas les portes.

— Et maintenant ?

— Plutôt deux fois qu'une.

— C'est plus prudent.

Il s'approcha de la malle, s'accroupit, étudia la serrure. L'empreinte avait maintenant disparu.

— Vous m'avez bien dit que Mme Agee possédait une clef...

— Oui. Cette malle appartenait aux derniers locataires. La vieille dame l'a laissée au grenier lorsqu'elle est partie, à la suite du décès de son mari. Joyce dit qu'il y avait deux clefs, mais elle n'en a retrouvé qu'une.

— Hum !

Reiker souleva le couvercle. Rien.

— Lieutenant, pensez-vous vraiment qu'il y ait un rapport entre ceci et...

— Je n'aime pas les coïncidences. C'est le shérif qui s'occupe de cette affaire ?

— Oui.

— Je passerai le voir avant de partir. Une telle somme ne prend pas beaucoup de place, et cette malle est bien grande.

— Je ne comprends pas qu'on ait laissé dormir cet argent dix ans.

— Les gens sont parfois bizarres, Miss. Mais, encore une fois, ce n'est qu'une théorie. J'en ai une autre. La maîtresse de Morgan s'est emparée du magot et s'est enfuie.

— Sa...

— Alice Delaney, déclara Reiker d'une voix égale. Elle avait une liaison avec lui depuis cinq ou six ans. C'est drôle. Au début les gens ne parlaient pas, mais maintenant j'ai du mal à les arrêter.

— Delaney ?

Avait-elle bien entendu ?

— Oui. Son fils est le garçon qui refait actuellement votre jardin. Encore une coïncidence.

Maggie parvint à conserver son calme. Elle bavarda un moment avec le lieutenant et arriva même à lui sourire lorsqu'il prit congé. Mais une fois la porte refermée...

La mère de Cliff avait été la maîtresse de Morgan et avait disparu après sa mort. Cliff était certainement au courant. Tout le monde devait savoir. Sauf elle.

C'était peut-être ridicule, mais Cliff considérait maintenant l'allée menant à la grande maison comme le chemin de son foyer. Si on lui avait dit un jour qu'il en arriverait là... Surtout, lui, avec ce qu'il ressentait pour William Morgan. Et que dire de celle qui habitait là-bas ? Sans elle... Ce qui se passait en lui était tout simplement inimaginable. Pourtant, c'était bien Cliff qui avait choisi de vivre avec Maggie. Comme il choisirait un jour de partir, lorsque le temps serait venu. Par moments, il avait besoin de se rappeler qu'il pouvait s'en aller quand il voudrait.

Lorsqu'elle riait, la maison devenait plus chaleureuse. Quand elle se mettait en colère, plus vivante. Et lorsqu'elle chantait... Tous les soirs, Maggie se mettait au piano et composait. Elle fredonnait des mots sans suite, des petits bouts de phrases. Le temps passait et le désir de Cliff ne faisait que croître. Comment pouvait-on travailler jour après jour avec une telle passion ?

C'était la discipline, songea-t-il. Jamais il n'aurait cru qu'une artiste puisse se montrer si disciplinée. Son talent était indiscutable et ne l'étonnait plus. Mais ces longues heures de travail...

Maggie n'était que contrastes. Elle passait d'un projet à un autre, d'une pièce à l'autre, abandonnait un mur à moitié tapissé, un plafond à moitié peint. Il y avait des caisses et des cartons partout. Mais ce désordre cachait une grande créativité.

Comme elle était différente ! Pourtant, il commençait à la comprendre. Tant qu'il l'avait prise pour une enfant gâtée, la vie avait été facile. Mais maintenant, il s'apercevait qu'elle n'avait pas acheté la maison par caprice...

Retrouver tous les soirs une femme qui le faisait rire, le mettait hors de lui et se montrait imprévisible était une expérience à laquelle il ne renoncerait pas facilement.

Il s'arrêta au milieu de l'allée. La pelouse ressemblait à un doux tapis vert, les pétunias qu'avait plantés Maggie faisaient partout des taches de couleur.

Ils avaient tous deux mis beaucoup de leur personnalité dans cette terre. Il serait difficile de briser les liens qui s'étaient établis entre eux.

Pas de musique. Cliff fronça les sourcils. Maggie se trouvait toujours au piano à cette heure du jour. Quand il rentrait plus tôt et travaillait au jardin, il savait qu'il était cinq heures lorsqu'elle se mettait à jouer. Il regarda sa montre. Cinq heures trente. Mal à l'aise, il poussa la porte.

Evidemment, elle n'était pas verrouillée. Cliff lui avait laissé un mot en partant, le matin, pour lui rappeler que ses hommes ne viendraient pas et pour lui recommander de bien fermer les portes. Pourquoi n'arrivait-elle pas à se mettre dans la tête que cet endroit était très isolé ?

La maison était trop calme. Le chien n'avait pas aboyé. Cliff, inquiet, visita chaque pièce. Personne. Il gravit les marches de l'escalier quatre à quatre et pénétra dans sa chambre.

— Maggie !

Elle n'était pas là. Une paire de chaussures traînait sur le tapis, un chemisier sur le lit, ses boucles d'oreilles sur la coiffeuse. Son parfum emplissait la pièce, comme toujours.

Lorsqu'il poussa la porte de la salle de bains et aperçut les carreaux sur le sol, il sourit. Un nouveau projet. Puis son regard s'arrêta sur le lavabo et son cœur cessa de battre. Sur la porcelaine blanche, trois gouttes de sang. Par la fenêtre, il entendit soudain Tueur aboyer au loin.

Cliff dévala l'escalier en hurlant le nom de la femme qu'il aimait sans le savoir.

Il l'aperçut dès qu'il franchit la porte de la cuisine. Maggie marchait lentement, à la lisière des bois qui bordaient la propriété à l'est. Tueur courait en rond autour d'elle en aboyant. Les mains dans les poches, elle allait tête basse.

Cliff courut vers elle en appelant. Maggie leva la tête, ne comprit pas l'inquiétude qu'elle lut dans son regard et se retrouva soudain dans ses bras, serrée à en étouffer. Il était si soulagé de l'avoir retrouvée qu'il ne nota pas qu'elle se tenait toute raide contre lui.

— Où étiez-vous passée ? murmura-t-il en enfouissant son visage dans sa chevelure.

Maggie fixa la maison par-dessus l'épaule de

Cliff. « Voilà l'homme que je croyais comprendre », se dit-elle.

— Je me promenais.

— Seule ? Vous êtes sortie seule ?

— Je suis chez moi, Cliff. Pourquoi ne pourrais-je me promener seule sur mes terres ?

Il faillit protester. Pourquoi n'avait-elle pas laissé un mot sur la table ? Pourtant, il se contint, sans trop savoir pourquoi.

— Il y avait du sang dans le lavabo.

— Je me suis coupée avec un carreau.

Cette déclaration ne le calma en rien. Ses mains n'étaient pas faites pour ce genre de travail.

— D'habitude, vous êtes au piano à cette heure-ci, parvint-il à articuler.

— Je ne désire pas m'enfermer dans la routine, pas plus que dans la maison. Si c'est une petite femelle placide que vous voulez, une de ces femmes qui attendent bien tranquillement le retour de leur homme, vous vous êtes trompé d'adresse.

Le plantant là, stupéfait, Maggie se dirigea d'un pas vif vers la maison.

Cliff resta un moment dehors. Le temps de se calmer un peu. Lorsqu'il pénétra dans la cuisine, Maggie emplissait un verre de whisky. C'était la première fois qu'elle en buvait devant lui. Il nota qu'elle était très pâle, terriblement tendue.

— Que s'est-il passé ? demanda-t-il.

Maggie but une gorgée de scotch, le trouva trop tiède, trop fort, mais but encore.

Il faisait trop chaud dans la cuisine, la pièce était trop petite. Elle sortit. Dehors, il n'y avait pas de murs ni de plafonds qui la rendent prisonnière. Elle contourna la maison et alla s'asseoir sur le gazon. L'ombre de Cliff se posa sur elle.

— Maggie, que vous arrive-t-il ?

— Je suis de mauvaise humeur. J'ai mes nerfs. Toutes les célébrités trop gâtées font des caprices.

Avec un effort pour conserver son sang-froid, Cliff s'assit auprès d'elle. Il lui releva le menton.

— Qu'y a-t-il ? demanda-t-il lorsque leurs regards se croisèrent.

Maggie savait que tôt ou tard ils devraient en discuter. Ce n'était pas la conversation qui l'effrayait, mais ses suites.

— Le lieutenant Reiker est passé me voir aujourd'hui, dit-elle en dégageant son visage.

Cliff jura. Il s'en voulait de l'avoir laissée seule.

— Que désirait-il ?

Maggie haussa les épaules et avala une gorgée de scotch.

— C'est un homme qui aime comprendre les choses, qui flaire les pistes comme un limier. Il en a trouvé plusieurs. D'après lui, William Morgan avait retiré vingt-cinq mille dollars de son compte en banque le jour du meurtre.

— Vingt-cinq mille !

Il semblait réellement surpris, nota-t-elle avec satisfaction. Elle le vit plisser les yeux, ce qu'il faisait toujours lorsqu'il réfléchissait.

— L'argent n'a jamais été retrouvé, reprit-elle. Reiker a une théorie. D'après lui, l'assassin l'a caché en attendant que les gens oublient.

Cliff tourna la tête vers la maison.

— Ici ?

— C'est possible.

— Dix ans ! C'est bien long pour quelqu'un qui aurait tué à cause de cela, grommela-t-il. Lui avez-vous parlé de la malle ?

— Oui. Il est monté la voir.

Cliff avança la main et effleura son épaule.

— Mais ce n'est pas cela qui vous a bouleversée, n'est-ce pas ? Il y a autre chose...

— Dans ce genre d'affaires, il y a toujours autre chose, répondit-elle d'une voix calme. La maîtresse de Morgan a disparu juste après sa mort.

Il serra brusquement son bras. Maggie sentit qu'il était hors de lui.

— Ce n'était pas sa maîtresse ! Ma mère n'était pas stupide au point de tomber amoureuse d'un Morgan. Elle a couché avec lui, certes, mais ce n'était pas sa maîtresse.

— Pourquoi ne rien m'avoir dit ? Pourquoi avoir attendu que je l'apprenne de cette façon ?

— Parce que cela n'avait aucun rapport avec vous ou avec ce qui s'est passé ici.

Furieux, il se leva.

— Encore une coïncidence, murmura-t-elle. N'est-ce pas vous qui déclariez qu'il fallait se méfier des coïncidences ?

Prisonnier de ces deux grands yeux qui le fixaient, il se sentit obligé de lui expliquer ce qu'il n'avait jamais dit à personne.

— Ma mère était très seule et vulnérable après la mort de mon père. Morgan a su exploiter la situation. Je ne vivais pas ici à l'époque. Si ç'avait été le cas, j'aurais empêché cette liaison. Ce diable d'homme savait trop bien jouer sur la faiblesse d'autrui. Lorsque j'ai découvert qu'ils se voyaient, j'ai eu envie de le tuer.

Maggie avala péniblement sa salive. Ce n'était pas la première fois qu'il faisait cette déclaration.

— Je n'ai rien dit parce que j'ai cru qu'elle l'aimait. Bien que très liée à Louella, elle avait succombé à son charme vénéneux. Lorsqu'on a retrouvé sa voiture dans la rivière elle s'est effondrée.

Il se tut. Il n'irait pas plus loin. Mais devant le regard insistant de Maggie, il finit par poursuivre.

— Ma mère ne s'est pas enfuie. Elle est venue me voir. Morgan disparu, elle était de nouveau lucide. La honte n'affecte pas tous les gens de la même façon. Elle rompit tous liens avec Morganville et ses habitants. Sa liaison était connue, elle n'eut pas le courage d'affronter les ragots. Elle vit maintenant à Washington, où elle a refait sa vie. Je ne veux pas que tout ceci lui gâche une nouvelle fois l'existence.

Décidément, il passait son temps à protéger les femmes qui l'entouraient. Sa mère, Joyce... Figurait-elle dans la liste de ses protégées ?

— Cliff, je comprends ce que vous ressentez. Ma mère était également ce que j'avais de plus précieux au monde. Mais vous ne pourrez épargner la vôtre bien longtemps. La police a décidé de reconstituer le passé, et votre mère se trouve au beau milieu de ces événements.

Cliff se rendit brusquement compte qu'elle ne disait pas vraiment le fond de sa pensée. Il se laissa tomber près d'elle et la prit aux épaules.

— Vous vous demandez quelle part j'ai prise à tout ceci, n'est-ce pas ?

Maggie tenta de se lever, mais il l'en empêcha.

— Arrêtez, murmura-t-elle.

— Pourquoi ? Vous imaginez-vous que j'ai assassiné Morgan afin de libérer ma mère d'une liaison que je désapprouvais ?

— Vous le haïssiez.

— C'est vrai.

Maggie le fixa un long moment.

— Non, vous ne l'avez pas tué, finit-elle par dire. Je vous connais trop bien maintenant et...

Elle posa la tête au creux de son épaule.

— Maggie...

— Chut !

Prenant son visage entre ses mains, elle l'embrassa longuement. Il était bien réel, solide, quelqu'un sur qui on pouvait compter. Il était à elle.

Maggie s'était plus ou moins attendue à ce qu'il réponde à son baiser avec violence, comme il le faisait toujours, mais Cliff se montra très doux. Etonnée, elle s'écarta un peu et le fixa. Ses yeux sombres comme la nuit... La première chose qui l'avait fascinée en lui... Cliff la serra délicatement dans ses bras.

Lentement, il traça le contour de sa bouche du bout d'un doigt. Ce visage... Il ne voulait plus voir que celui-là. Il ne désirait plus goûter qu'à ces lèvres-là. Il la renversa sur l'herbe. Il ne pourrait dorénavant posséder que ce corps-là.

Cette tendresse la laissa sans force. L'herbe était fraîche, le soleil brûlant. Maggie ferma les yeux et offrit son visage à ses baisers.

— Cliff, oh, Cliff !

La délicatesse de sa peau, le soleil qui jouait dans ses cheveux, son regard auquel aucun homme ne pouvait résister. Elle était sienne. Ses caresses ne s'en firent que plus douces.

Cliff la déshabilla sans cesser de l'embrasser. Lorsque Maggie fut nue, il leva la tête pour mieux la voir, exposée aux rayons du soleil. Au bout d'un moment, elle soupira, puis, sans ouvrir les yeux, tendit la main et commença à le dévêtir.

Ce besoin primitif et urgent qu'il ressentait chaque fois qu'il la prenait dans ses bras ne se manifesta pas. Aujourd'hui, Cliff se sentait envahi par des émotions nouvelles. Ce n'était plus son plaisir qui comptait, mais bien celui de Maggie.

Sa bouche courut sur son visage, s'en détacha pour glisser sur son cou, puis de là sur ses seins. Sous ses lèvres, il sentit son cœur battre. Lorsque ses caresses se firent plus précises, sa respiration s'accéléra.

Son corps était un trésor qu'il fallait découvrir et admirer avant d'en prendre possession. Lentement, presque paresseusement. Cliff l'explora de ses mains, de sa bouche, s'arrêtant lorsqu'elle réagissait avec trop de violence.

Maggie avait oublié où ils se trouvaient. Bien que ses yeux soient mi-clos, maintenant, elle ne voyait rien, perdue dans sa passion, son désir. Son corps vibrait au moindre attouchement. Elle entendait de petits murmures, de légers soupirs, sans trop savoir s'ils venaient d'elle ou de lui. Il n'y avait pas de raisons de penser au monde extérieur, de s'en inquiéter. Elle allait bientôt atteindre des limites jusqu'alors inconnues.

Cliff s'en rendit compte à sa manière différente de respirer. Mais il ne se pressa pas. Aujourd'hui ils iraient plus loin que jamais, mais lentement, en gourmets.

Maggie s'arc-bouta soudain, puis se laissa aller brusquement en arrière, plus vulnérable que jamais, totalement abandonnée. C'était le moment que Cliff attendait. Encore une fois, cependant, il prit tout son temps. Le corps de Maggie était vibrant de passion, de désirs, de sensations qu'il était le seul à pouvoir lui donner.

Lorsqu'ils furent au bord du délire, il la posséda enfin, tendrement.

Chapitre 11

Le dimanche matin, Maggie décida de ne pas se lever, de sommeiller jusqu'au début de l'après-midi. Elle sentait le poids du bras de Cliff encerclant sa taille, son souffle léger contre son cou. Sans ouvrir les yeux, elle se blottit tout près de lui.

Si elle avait su qu'il pouvait se montrer aussi tendre, elle l'aurait aimé plus tôt. Mais quel plaisir de découvrir cela alors que son cœur était déjà pris. Il y avait tant d'émotions en lui... Il ne les montrait pas, mais quel confort de les savoir là.

Au fond, Maggie n'avait pas besoin de grandes déclarations mais de stabilité. Lorsqu'une femme avait la chance de posséder un homme capable de tellement de passion et de tendresse, elle aurait été folle de vouloir le transformer. Or Maggie était loin d'être sotte. Elle sourit, satisfaite.

— Pourquoi souriez-vous ?

Elle ouvrit les yeux. Cliff devait être réveillé depuis longtemps. Encore tout engourdie, elle se secoua.

— Je suis bien, murmura-t-elle en se rapprochant encore de lui. Grâce à vous.

Il passa la main le long de son dos. Oui, ils étaient bien.

— Douce. Douce et lisse.

Comment avait-il pu vivre si longtemps sans la toucher ? Sa peau était tiède, elle était détendue. Il eut soudain envie de la voir toujours ainsi. Mais Maggie se trouvait sans le vouloir au centre d'un problème, et lui avec. Comment la protéger ?

Il roula sur elle, l'écrasant de tout son poids, lui arrachant un petit cri de protestation.

— Et le petit déjeuner ? demanda-t-il.

Maggie croisa les bras derrière la tête et sourit.

— Je croyais que vous n'aimiez pas ma façon de cuisiner.

— Ce matin, j'ai décidé d'être tolérant.

— Vraiment ? J'ai beaucoup de chance, non ?

— Le bacon flasque et les œufs bien mous, lui dit-il avant d'enfouir son visage dans son cou.

— Pardon ?

— Je n'aime pas le bacon trop cuit et les œufs trop pris, traduisit-il.

Maggie soupira et ferma les yeux. Elle désirait se souvenir de cet instant de bonheur avec précision.

— J'aime mon bacon croustillant et j'ai horreur des œufs, répondit-elle.

— Dommage, cela vous ferait du bien d'en manger plus souvent. Vous seriez plus... moins... mince.

— On se plaint déjà ?

— Je n'ai pas dit cela.

Il caressa longuement ses hanches.

— Mais trois bons repas chaque jour et un peu d'exercice...

— Personne n'a besoin de trois repas par jour. Quant à l'exercice...

— Aimez-vous danser ?

— Oui, mais je...

— Vous n'êtes guère musclée, dit-il en pinçant légèrement son bras. Etes-vous au moins résistante ?

Elle lui adressa un sourire en coin.

— Vous devriez le savoir.

Cliff éclata de rire et l'embrassa.

— Je vous trouve bien friponne, ce matin.

— Merci.

— A propos de danser. Connaissez-vous la contredanse ?

— La quoi ?

Cliff soupira.

— C'est bien ce que je pensais. Il s'agit de danses villageoises, Maggie.

— Une sorte de quadrille ?

— Non. Le quadrille est plus sophistiqué, plus réglementé que nos danses paysannes. Mais c'est le même genre de musique et il y a aussi quelqu'un qui donne la mesure en chantant et en indiquant les pas.

— Comme dans les westerns ? « Faites tourner votre partenaire, saluez-la. »

Elle passa un doigt sur sa poitrine et Cliff frissonna.

— C'est un peu cela.

Maggie mit les bras autour de son cou.

— Je suis persuadée que ce genre de danse est fascinant, mais je ne comprends pas que nous en parlions maintenant, alors que nous pourrions nous embrasser.

Cliff se pencha, lui donna un baiser à couper le souffle puis se releva.

— Parce que je désire aller danser avec vous.

Maggie poussa un petit soupir satisfait.

— Quand et où ?

— Ce soir, dans le parc, près de la ville.

— Ce soir ? Dans un parc ?

— C'est une tradition.

Il se laissa aller sur le dos, en gardant la main posée sur elle.

— Toute la ville sera là. Il en est ainsi à chaque printemps. On danse jusqu'à minuit, puis on soupe. Ensuite, ceux qui en ont encore la force dansent jusqu'au petit jour.

— Jusqu'à l'aube ?

— N'avez-vous jamais dansé jusqu'au matin ?

Le ton de sa voix lui déplut. Cliff ne manquait pas une occasion de lui faire remarquer à quel point ils étaient différents.

— Nous regarderions les étoiles mourir dans le ciel et le soleil se lever, murmura-t-il.

— Pourquoi ne m'avoir jamais parlé de cette fête ?

— Je ne sais pas. Sans doute parce que je pensais que cela ne vous intéresserait pas. Mais en réfléchissant bien, j'ai compris que je me trompais.

C'était une façon comme une autre de s'excuser. Maggie l'accepta avec philosophie. Elle sourit.

— Seriez-vous en train de me donner un rendez-vous ?

Les yeux de Cliff se firent rieurs.

— On dirait.

— Je crois que j'aimerais beaucoup y aller.

— Voilà qui est parfait. Et si nous reparlions de ce petit déjeuner ?

Elle fit la grimace et s'empara de sa bouche.

— Nous en reparlerons à l'heure du déjeuner.

Bien qu'elle ne sût pas à quoi s'attendre, Maggie était impatiente d'assister à la fête. Enfin une occasion de passer la soirée loin de la maison, avec d'autres gens. Les semaines de solitude qu'elle venait de vivre lui avaient appris un certain nombre de choses. D'abord qu'elle pouvait se suffire à elle-même. Mais vivre en se débrouillant seule allait un moment. Elle ne prouverait rien en s'enfermant plus longtemps. Maintenant qu'elle était capable d'effectuer ce qu'elle avait jusqu'alors confié à d'autres, il n'était plus nécessaire de se couper du monde.

Ce serait probablement une de ces fêtes de village avec orchestre désaccordé et limonade tiède. Sûre qu'elle ne serait pas impressionnée, Maggie n'en fut que plus enchantée.

Il y avait des centaines de voitures autour du parc, ce qui l'étonna. Elle aurait pensé que les habitants de Morganville viendraient à pied. Lorsqu'elle en fit la remarque à Cliff, il se mit à rire.

— On vient de très loin pour assister à notre fête. Même de la capitale.

— Vraiment ?

Un meurtre mystérieux, une fête célèbre dans de nombreux Etats voisins, décidément Morganville n'était pas le bourg de tout repos qu'elle avait imaginé.

Maggie descendit du pick-up et respira l'air tiède du soir. C'était la pleine lune, mais le soleil ne s'était pas encore couché. Elle se demanda si le comité d'organisation avait choisi exprès la date ou si c'était pure coïncidence. De toute façon, cela ajoutait encore à la beauté du spectable. Mettant sa main dans celle de Cliff, elle marcha vers le sommet de la colline.

Pendant qu'ils avançaient, le soleil se coucha derrière les montagnes, à l'ouest. Maggie avait assisté à de beaux couchers de soleil sur la mer et sur les Alpes. Elle avait vu des déserts s'embraser, le sable devenir rouge sang, puis mauve. Pourtant la vue de cette chaîne de montagnes s'assombrissant par degrés la toucha. C'était sans doute ridicule, mais à cet instant elle se sentit plus proche de cette communauté qu'elle avait choisie un peu par hasard. Sous le coup d'une irrésistible impulsion, elle passa son bras autour du cou de Cliff.

Il se mit à rire et la prit par la taille.

— Que vous arrive-t-il ?

— Je me sens bien.

Au même instant, la musique éclata. Musicienne, Maggie reconnut sans peine les instruments. Violon, banjo, guitare et piano. Un long frisson la parcourut.

— C'est fabuleux !

Elle accéléra l'allure, entraînant Cliff à sa suite.

— Dépêchons-nous ! Je veux voir cela de plus près.

Il y avait plusieurs centaines de danseurs sur la piste protégée par un toit de toile. Au début, Maggie ne vit qu'une foule qui s'agitait en cadence. Puis elle remarqua qu'ils se tenaient en rang, par huit. Huit hommes faisant face à huit femmes, et ainsi de suite. La contredanse lui sembla très compliquée.

Certaines femmes portaient de longues jupes qui virevoltaient lorsqu'elles pirouettaient, d'autres étaient vêtues plus simplement de jeans. Les hommes, quant à eux, étaient habillés sans façon, de manière fort décontractée. Si la plupart étaient chaussés de mocassins, un certain nombre arboraient des bottines comme on en portait dans l'ancien temps. Maggie aperçut même un couple qui avait enfilé des chaussons de danse.

Une femme se tenait sur un petit podium, face à l'orchestre et modulait des instructions au rythme de la danse. Maggie, en bonne musicienne, se mit machinalement à battre la mesure du bout du pied. Elle mourait d'envie d'essayer.

— Comment savent-ils ce qu'il faut faire ? cria-t-elle à l'oreille de Cliff pour se faire entendre. Je ne comprends pas un mot de ce que dit cette brave femme.

— Ce sont toujours les mêmes pas, répondit-il en forçant sa voix. Une fois que vous les connaissez, il suffit de les répéter. Au fond, elle n'est là que pour ajouter au spectacle.

Maggie reporta son attention sur la piste pour tenter de deviner la séquence répétitive. Au début, elle ne vit que confusion. Il y avait trop de monde. Elle choisit donc un couple et s'attacha à suivre ce qu'ils faisaient.

Quelle ambiance ! La musique était agréable à l'oreille, la foule bariolée. Le plancher vibrait sous le piétinement de ces centaines de pieds plus ou moins agiles. Le soleil s'étant couché, on alluma des projecteurs.

Cliff lui tenait toujours la taille et battait également la mesure, un large sourire aux lèvres. Maggie reconnut la postière. Malgré son âge et sa corpulence, elle tournoyait comme un derviche et faisait des grâces à son cavalier comme une adolescente.

Faire du charme faisait partie de la contredanse. Maggie s'en convainquit lorsqu'elle cessa d'observer les pieds des danseurs pour étudier leurs visages. On flirtait avec les yeux, les sourires étaient aguichants, de petits hochements de tête provocateurs, mais sans que cela tire à conséquence. Ce n'était qu'un jeu dont elle commençait à entrevoir les règles.

Cliff n'aurait jamais pensé que Maggie soit fascinée à ce point. Pourtant, il pouvait lire du plaisir et de l'excitation dans son regard. Savoir qu'il était un peu la cause de ce bonheur le transportait de joie. Son visage était rose de satisfaction, son corps se balançait au rythme de la danse, ses yeux étaient partout à la fois. Ce n'était plus Maggie Fitzgerald, célébrité reconnue, qu'il tenait dans ses bras, mais Maggie, la femme avec qui il danserait jusqu'à l'aube.

Lorsque les musiciens plaquèrent le dernier accord, elle éclata en applaudissements avec le reste de la foule, puis leva vers lui un visage radieux.

— Je veux essayer, quitte à me couvrir de ridicule.

— Je vous guiderai.

Les premières mesures de l'air suivant retentirent et Maggie se retrouva au milieu d'un rang, face à Cliff. Les gens l'observaient du coin de l'œil mais elle essaya de ne pas y penser. Après tout, c'était la première fois qu'elle participait à une activité locale et ils avaient bien le droit de se montrer curieux. D'autant que son partenaire était connu de tous.

La femme qui officiait en tant que maître de cérémonie mit les mains en porte-voix.

— Ce morceau s'appelle « Du Whisky Avant Le Petit Déjeuner ». Si vous en avez déjà bu à cette heure matinale, vous savez que ça ne vaut pas une bonne danse !

Elle battit la mesure, un, deux, trois, et tous se mirent à sautiller en cadence. Maggie se trouva prise dans le mouvement sans trop savoir ce qu'il fallait faire. Cliff la fit tourbillonner et sa tête se mit à tourner.

— Regardez-moi dans les yeux ou vous allez attraper le vertige.

— Si vous saviez comme je m'amuse !

C'était le grand charivari, la cohue. Les épaules se heurtaient, on trébuchait, des inconnus vous prenaient par la taille. Des adolescents dansaient avec des grands-mères, des dames de la ville avec des paysans portant mouchoir autour du cou. Ici, on ne faisait pas de manières. Souvent c'étaient les femmes qui invitaient l'homme de leur choix.

Maintenant, Maggie avait les pas en tête. Lorsque le rythme s'accéléra, juste avant la fin du morceau, elle resta bien en ligne, ne commit pas la moindre erreur. Elle aurait pu danser ainsi pendant des heures. A la dernière mesure, elle tomba dans les bras de Cliff, hors d'haleine.

— C'est déjà fini ? Mais c'est trop court ! Quand dansons-nous de nouveau ?

— Mais quand vous voudrez.

— Maintenant !

Elle lui prit la main et l'entraîna sur la piste. Cliff la suivit en riant. On eût dit qu'elle fréquentait les fêtes champêtres depuis sa plus tendre enfance. Décidément, Maggie le surprenait chaque jour un peu plus. Pourtant, bien que parfaitement intégrée, elle n'était pas comme les autres. C'était sans doute le fait d'avoir vécu longtemps dans un autre monde qui la rendait si différente. Au début, c'était cela qui l'avait attiré vers elle, maintenant, il ne savait plus. Il se mit à danser en l'observant. A la voir si agile, tellement pleine de vie, il se sentit pataud.

Depuis qu'il la connaissait, il n'avait jamais été vraiment à l'aise. Pourquoi ? Même lorsqu'il pensait à elle, après l'avoir quittée, il était comme embarrassé.

Vivre avec elle lui donnait la sensation de posséder quelque chose qu'il avait toujours eu envie d'avoir, inconsciemment. Se réveiller le matin dans ses bras ! Regagner la grande maison à la tombée de la nuit et y retrouver Maggie et sa musique ! Il ferait bien de se souvenir qu'ils étaient différents. Moins dure serait la chute. Mais lorsqu'elle tourbillonnait dans ses bras en riant, il se remettait à espérer.

Maggie ne s'était jamais sentie aussi libre de sa vie. Plus de tension, plus d'ennuis. La danse, les couleurs, les odeurs, la voix du maître de cérémonie, et surtout la musique effaçaient tout. Elle avait passé des nuits dans des boîtes à la mode au bras de vedettes, avait valsé en Europe avec des altesses, sans s'amuser autant que ce soir.

Se retournant, elle se trouva face à Stan Agee. Sans son badge et son pistolet, il avait l'allure d'un jeune athlète. Pourtant, lorsqu'il lui prit la main elle se contracta, sans trop s'expliquer pourquoi.

— Je suis très heureux de vous rencontrer, Miss Fitzgerald.

— Moi aussi, monsieur Agee.

Elle posa la main sur son épaule, il lui prit la taille et ils se mirent à virevolter en mesure. Maggie se força à sourire, mais le cœur n'y était pas.

— Vous apprenez vite.

— Merci. C'est merveilleux ! Je n'aurais jamais cru qu'on puisse aussi bien s'amuser...

Du coin de l'œil, elle aperçut Cliff qui dansait avec Joyce. Mais la tension demeura.

— Gardez-moi une danse, lui dit Stan avant de passer à une autre partenaire.

Lorsque Cliff la reprit dans ses bras, il devina immédiatement que quelque chose n'allait pas. Maggie était étonnamment raide.

— Qu'arrive-t-il ?

— Rien.

Comment lui expliquer ? Elle-même ne comprenait pas. Pourtant, quand elle repassa de bras en bras, tout s'éclaira. Chaque fois qu'elle dansait avec quelqu'un, il s'agissait peut-être de l'assassin de William Morgan. Comment savoir ? Ça pouvait être n'importe qui. Le directeur de l'agence immobilière qui lui avait vendu la maison, le boucher qui lui avait recommandé ses côtes de porc pas plus tard que la veille, la postière, le banquier... Oui, comment savoir ?

Incapable de réfléchir davantage, Maggie croisa le regard du lieutenant Reiker. Du bord de la piste, il observait la foule. Que faisait-il là ? Pourquoi assistait-il à la fête ? La surveillait-il ? La protégeait-il ? Mais de qui ?

Après tout, Reiker était peut-être un fanatique de danses villageoises. Non, cela ne cadrait pas avec le personnage. Il avait dû saisir l'occasion de voir réunis tous les gens de la petite ville. Maggie frissonna. Il faisait son travail. Cependant, elle aurait préféré qu'il ne soit pas venu.

Elle aperçut Louella. Elle aussi dansait. Ou, plutôt, elle semblait flotter sur la piste. Sa façon de suivre la cadence était pleine de dignité. La voir ne fit qu'accentuer le malaise qui s'était emparé de Maggie.

On l'épiait. Qui ? Reiker ? Stan, Joyce, Louella ? Tout le monde, finit-elle par conclure. Elle était l'étrangère par qui le scandale était arrivé. Et, dans cette foule, il y avait quelqu'un qui devait terriblement lui en vouloir. Le meurtrier.

Maggie trouva soudain la musique trop bruyante, la danse éprouvante, la chaleur insupportable. Par chance, elle atterrit dans les bras de Bog. La vue de son visage ridé et de ses yeux délavés la rassura. Trop d'imagination. Personne ne lui en voulait. La musique redevint audible, sa fatigue s'évanouit, elle n'eut plus si chaud.

Lorsqu'elle se retrouva une nouvelle fois avec Cliff, elle allait mieux. Il comprit la raison de son attitude et l'éloigna des Agee et de Louella.

— J'ai envie d'une bière, prétexta-t-il.

— D'accord. Je serai ravie de voir les autres danser, pour changer un peu.

— En voulez-vous une ?

Maggie lui jeta un regard en coin.

— Je n'y ai pas droit ?

Cliff haussa les épaules.

— Vous n'êtes pas du genre à boire de la bière.

— Je trouve que vous classez les gens un peu trop facilement.

— Peut-être. Vous amusez-vous ?

— Beaucoup.

La bière était tiède, mais c'était tout de même du liquide. Inconsciemment, elle recommença à battre la mesure. Il y avait maintenant un musicien de plus dans l'orchestre ; il jouait de la mandoline. Le son était aigrelet et démodé.

— Vous ne pensiez pas que cela pourrait me plaire ?

— Je savais que vous aimeriez la musique et que vous seriez heureuse de sortir un peu, mais je ne m'attendais pas à ce que cela vous divertisse tant.

Maggie le regarda par-dessus le rebord de son verre, un sourire amusé sur les lèvres.

— Quand cesserez-vous de me surprotéger, Cliff ? Je ne suis pas une orchidée de serre ou une de ces mijaurées d'Hollywood. Je suis Maggie Fitzgerald et je compose de la musique.

Il soutint gravement son regard.

— Je crois savoir qui vous êtes, maintenant. Je pense enfin connaître Maggie Fitzgerald. Il aurait peut-être été plus sage de vous mettre sous verre, aussi bien pour vous que pour moi.

Maggie rougit.

— Nous reparlerons de cela plus tard.

Levant son gobelet de carton, elle toucha le rebord du sien.

— A notre compréhension mutuelle.

Cliff se pencha et effleura ses lèvres.

— A nous.

— Miss Fitzgerald ?

Maggie se tourna et aperçut un jeune garçon qui tenait un chapeau rond entre ses mains. Il devait avoir vingt ans et semblait nerveux. Elle remarqua que la musique avait cessé.

— Mais vous êtes le pianiste ! s'exclama-t-elle. Vous jouez merveilleusement.

Le gamin devint écarlate.

— Je voulais... Merci, Miss.

Cliff observait Maggie, fasciné. Devant elle, les hommes se sentaient soudain tout petits, et pas seulement ce jeune homme.

— Je n'arrivais pas à croire que c'était bien vous, murmura enfin le pianiste.

— J'habite dans le coin, répondit-elle simplement.

Ce n'était pas la première fois que Maggie disait cette phrase devant Cliff, mais il lui sembla ne jamais l'avoir entendue. Oui, elle vivait ici. Parce qu'elle l'avait choisi. Et elle resterait. Maintenant, il y croyait.

— Miss Fitzgerald, reprit le pianiste, si jamais vous aviez envie de jouer avec nous...

— Mais je ne connais aucun de ces airs. Croyez-vous que je serais capable d'improviser ?

Il resta bouche bée.

— Vous plaisantez, j'espère.

Maggie éclata de rire et tendit son verre à Cliff.

— Gardez-moi ça.

Décidément, elle ne perdrait jamais l'habitude

de donner des ordres. Il la suivit du regard pendant qu'elle se dirigeait vers le podium. Mais cela en valait la peine.

Maggie joua plus d'une heure, s'amusant autant au piano que sur la piste de danse. C'était comme un défi d'interpréter cette musique nouvelle pour elle. Dès le deuxième morceau, elle décida d'écrire quelque chose dans ce style.

Du podium, elle apercevait mieux les danseurs. Elle revit Louella, avec Stan, chercha Joyce dans la foule et ne fut pas étonnée de la voir danser avec Cliff. Quant à Reiker, appuyé contre un poteau, il fumait cigarette sur cigarette en observant les gens.

« Qui surveille-t-il ? » se demanda-t-elle. Comme les danseurs changeaient sans arrêt de place, il était difficile de le dire. Cependant, elle nota que son regard était tourné vers le côté de la piste où se trouvaient Stan, Louella, Joyce et Cliff. S'il pensait que l'un d'eux était le meurtrier, cela ne se voyait pas dans ses yeux, qui étaient calmes, trop calmes, même. Elle préféra détourner la tête et se concentrer sur la musique.

— Je ne pensais pas que vous me préféreriez un piano, lui dit Cliff lorsqu'elle alla le rejoindre.

— Je vous ai observé. Je ne semblais guère vous manquer.

— Un homme seul est une proie facile. Vous avez faim ?

— Terriblement. Il est déjà minuit ?

Ils emplirent leurs assiettes puis allèrent s'installer sur l'herbe, au pied d'un arbre.

— Je ne vois plus Louella, dit Magie.

— Stan a dû la raccompagner. Elle ne reste

jamais après minuit. Il ne va pas tarder à revenir.

— Bonsoir, Miss Fitzgerald.

Maggie leva la tête et aperçut le lieutenant. Il s'accroupit à ses côtés.

— J'ai beaucoup aimé votre façon de jouer. Il y a des années que je connais vos chansons, mais je n'avais pas eu l'occasion de vous entendre jouer en personne.

— Je vous remercie. J'ai remarqué que vous ne dansiez pas.

— Moi ? Je danse très mal. Evidemment, si ma femme était là j'aurais fait un effort, mais...

Ainsi, elle avait imaginé cette surveillance qui n'en était pas une. Il était là uniquement pour écouter de la musique.

— Les amateurs de musique aiment généralement danser. Pas vous ?

— Je suis l'exception qui confirme la règle.

Il se tourna alors vers Cliff et lui sourit.

— Je voulais vous remercier pour votre coopération, monsieur Delaney. Cela m'a grandement facilité les choses.

— Ce n'était rien, lieutenant. Nous voulons tous voir la fin de cette triste histoire.

Reiker hocha la tête et se releva.

— J'espère avoir encore le plaisir de vous entendre jouer, Miss Fitzgerald.

Après son départ, Maggie laissa échapper un long soupir.

— Je sais que je suis injuste, mais il me met mal à l'aise. Que voulait-il dire à propos de coopération ?

— J'ai contacté ma mère. Elle viendra lundi faire une déposition.

— Je vois. Elle a dû avoir du mal à se décider.

— Non. C'est pour elle une vieille histoire. Dix années se sont écoulées, plus personne n'y pense. Sauf peut-être l'assassin.

Maggie frissonna. Elle ne voulait pas repenser à tout cela, pas ce soir.

— Dansons, dit-elle en se levant. Nous avons encore de longues heures avant l'aube.

Le temps passa. Maggie était infatigable. Autour d'eux, la foule commençait à se faire moins dense. Mais les musiciens allaient toujours grand train.

Lorsque le ciel s'éclaircit, il ne restait pas plus d'une vingtaine de couples sur la piste. Sans qu'aucun ne cesse de danser, tous tournèrent la tête vers l'est. Il y avait quelque chose de magique à regarder le soleil se lever au son de la musique. Quand les montagnes devinrent roses, on attaqua la dernière valse.

Cliff enlaça Maggie et ils se mirent à tourner. Elle lui sourit, et il se rendit brusquement compte qu'il l'aimait. Cette découverte le stupéfia.

Chapitre 12

Maggie l'aurait senti se raidir si elle n'avait été toute à la musique. A la dernière note, elle soupira, désolée.

— J'aurais encore pu danser des heures.

— Vous serez endormie avant d'arriver chez vous.

Il prit bien soin de ne plus la toucher. Il fallait être fou pour aimer une femme comme elle, quelqu'un qui ne pouvait se décider à terminer un mur ou un plancher. Elle donnait des ordres, portait de la soie sous ses jeans. Oui, décidément, il devenait fou.

Mais elle pouvait danser toute une nuit avec lui. Son corps menu était plein de vitalité et de courage. Elle composait une musique angélique, et diabolique. Une femme difficile, impossible à oublier. Ce qui expliquait qu'il ait lutté si longtemps avant de regarder la vérité en face.

Maintenant, à moitié assoupie dans la cabine de la camionnette, elle reposait contre son épaule. Il soupira et passa un bras autour d'elle, l'attirant à lui. C'était sa place, tout contre lui.

Maggie avait du mal à garder les yeux ouverts.

— Il y a longtemps que je ne m'étais autant amusée.

— Et tous ces airs nouveaux courent encore dans votre tête.

Elle se tourna légèrement, de façon à voir son profil.

— Je crois que vous commencez vraiment à me comprendre.

— Un peu.

— Un peu est bien assez. Cela m'a fait plaisir de jouer, ce soir. J'ai toujours refusé de donner des concerts, mais aujourd'hui...

Il fronça les sourcils.

— Vous pensez à donner des récitals ?

— Oh, non. Si j'en avais eu vraiment envie, ce serait fait depuis longtemps. Cependant, j'ai décidé de suivre le conseil de C.J. : j'enregistrerai la chanson du générique du film. Travailler en studio ne ressemble en rien à un concert public.

— Vous avez décidé cela ce soir ?

— Il y a pas mal de temps que j'y pense. Je m'étais habituée à l'idée de ne jamais chanter pour le public et je m'aperçois aujourd'hui que dans certains cas je ne puis suivre cette règle restrictive. J'ai trop envie d'interpréter cette chanson.

Elle laissa aller sa tête en arrière et ferma les yeux.

— Il faudra que j'aille à Los Angeles pour l'enregistrement. Mais cela ne prendra que quelques jours. Je vois d'ici la tête de C.J. Il va tout faire pour me retenir.

Une panique folle s'empara de Cliff. Ils arrivaient devant la maison, et il freina violemment.

— Je veux que vous m'épousiez.

— Quoi ?

Elle avait dû mal entendre à cause du sommeil qui la gagnait.

— Je veux que nous nous mariions.

Il la prit par les épaules et la secoua doucement.

— Je me fiche de savoir que vous allez enregistrer une chanson ou une douzaine. Je veux que vous m'épousiez avant de regagner la Californie.

Dire que Maggie était stupéfaite était peu de chose. Elle le regarda comme s'il était devenu fou.

— Ce doit être la fatigue, murmura-t-elle. Seriez-vous en train de me demander en mariage ?

— Vous avez très bien entendu. Et vous ne vous en irez pas avant de m'avoir épousé.

Maggie se secoua pour s'éclaircir les idées.

— J'ai l'impression que vous mélangez tout. L'enregistrement et le mariage. L'un concerne ma vie professionnelle, l'autre ma vie privée.

Comment parvenait-elle à rester si calme alors qu'il en était incapable ? Cliff l'attira brusquement à lui.

— A partir d'aujourd'hui, c'est moi que votre vie concerne.

Maggie avait déjà entendu ça quelque part.

— Non. Je ne veux pas de quelqu'un qui s'occupe de moi. Je ne recommencerai pas une telle expérience.

— Je ne vois pas ce que vous voulez dire.

Il était furieux, maintenant.

— Je vous dis que nous allons nous marier.

— Voilà justement où le bât blesse. Vous n'avez pas à me le dire !

Maggie n'avait plus sommeil. Ses yeux lançaient maintenant des lueurs inquiétantes.

— Jerry m'a dit un jour que nous allions nous marier, et j'ai été d'accord parce que je pensais que c'était la seule chose à faire. Il m'avait aidée à surmonter la mort de mes parents, m'avait encouragée à écrire de nouveau. Il voulait s'occuper de moi. Puis les choses sont allées de mal en pis et il n'a même pas pu s'occuper de lui-même. Je ne pouvais l'aider à mon tour. Je ne veux pas que tout cela recommence, Cliff. Je ne veux pas me retrouver en cage, dans une serre.

— Cela n'a rien à voir avec votre premier mariage. Occupez-vous de vous si ça vous chante, mais vous m'épouserez.

— Pourquoi ?

— Parce que je vous le dis !

— C'est ce qu'il ne fallait pas répondre.

Elle bondit du camion et claqua la portière.

— Allez vous calmer ailleurs. Moi, je vais me coucher.

En gravissant les marches branlantes du porche, elle entendit le pick-up s'éloigner. Qu'il aille au diable ! De quel droit la bousculait-il de la sorte ? Lorsqu'un homme pense pouvoir obliger une femme à l'épouser, il mérite qu'on le traite ainsi. Un bon coup dans son orgueil. Comment osait-il aborder le mariage de cette façon ? Le mariage, bien sûr, pas question d'amour !

Elle poussa la porte et s'étonna. Tueur n'aboyait pas. Serait-il devenu raisonnable ? Quel redoutable chien de garde... On pouvait dire que C.J. avait eu la main heureuse. Au moment où elle allait s'engager dans l'escalier, une odeur inhabituelle la stoppa net. Une odeur de bougies, de cire parfumée à la rose. Bizarre. Elle avait beaucoup d'imagination, certes, mais pas au point de s'inventer des odeurs. Elle poussa la porte du salon et s'arrêta brusquement.

Louella se tenait très droite dans un fauteuil à dossier haut. Ses mains étaient croisées sur ses genoux. Sa peau était pâle, son regard vide... Maggie eut l'impression qu'elle la regardait sans la voir. Sur la table, près d'elle, se trouvaient des bougies presque entièrement consumées. A côté, un vase plein de roses emplissait la pièce d'une odeur entêtante.

Maggie s'était toujours doutée que Louella n'était plus tout à fait normale. Elle s'approcha d'elle lentement, de peur de l'effrayer.

— Madame Morgan, murmura-t-elle.

— J'ai toujours aimé les chandelles, déclara Louella d'une voix blanche. Elles donnent une lumière plus douce que les lampes. J'en allumais souvent le soir.

— C'est en effet très joli. Mais il fait jour, maintenant.

— Je sais. Je passe quelquefois mes nuits ainsi. J'aime entendre les bruits des bois.

— Venez-vous souvent ici la nuit, madame Morgan ?

— Quelquefois, en voiture. Lorsqu'il fait beau, comme ce soir, je marche.

Maggie se passa la langue sur les lèvres.

— Ainsi, vous revenez la nuit dans la maison.

— Je sais que je ne devrais pas, Joyce ne cesse de me le dire. Mais...

Un petit sourire triste éclaira son visage las.

— Elle a Stan, elle ne peut comprendre. C'est un si bon garçon.

Ses mains s'agitèrent brusquement.

— William n'était pas bon. J'ai toujours espéré que Joyce se trouverait un bon mari comme Stan.

Elle se tut et ferma les yeux. Au bout de quelques instants, pensant qu'elle dormait, Maggie fit mine de se diriger vers le téléphone. Elle voulait appeler les Agee. Louella lui prit le bras.

— Je l'ai suivi, cette nuit-là, murmura-t-elle.

— Vous l'avez suivi ?

— Je ne voulais pas qu'il lui arrive malheur. Joyce l'aimait tant.

— Vous avez suivi votre mari jusqu'ici ? demanda Maggie en s'efforçant de conserver son calme.

— William était là, et il avait l'argent. Je savais qu'il allait commettre une ignominie et qu'il s'en sortirait à cause de sa position sociale. Il fallait que cela cesse.

Elle serra le bras de Maggie avec une force dont la jeune femme ne l'aurait pas crue capable.

— L'argent ne devait pas être enterré avec lui. Si on le retrouvait, on ne devait pas découvrir l'argent. Je l'ai caché.

— Ici ? Dans le grenier ?

— Dans la vieille malle. Puis j'ai oublié. Je ne me le suis rappelé que lorsqu'on a trouvé... lorsqu'on a creusé dans le ravin. Je suis revenue, j'ai pris l'argent et je l'ai brûlé. J'aurais dû le faire dix ans plus tôt.

Maggie contempla les mains de la vieille

dame. Des mains frêles et fines. Avaient-elles tenu une arme ? Etait-il possible qu'elles aient contribué à la mort d'un homme ? Levant les yeux, elle s'aperçut que Louella s'était endormie.

Que faire ? Appeler la police ? Non, elle n'en aurait jamais le courage. Elle téléphonerait d'abord à Joyce.

Pas de réponse. Joyce était peut-être encore à la fête. Maggie soupira et revint dans le salon. Apercevant une silhouette qui s'avançait dans sa direction, elle sursauta.

— Vous m'avez fait peur.

— Je suis désolé, murmura Stan.

Son regard alla de sa belle-mère à Maggie.

— Je suis passé par-derrière. Le chien dort dans la cuisine. Elle a dû lui donner un somnifère.

— Mon Dieu !

— Ne vous inquiétez pas, il va bien. J'ai vérifié. Il sera seulement un peu abruti au réveil.

— J'allais vous appeler. Je crois que Louella a passé la nuit ici.

— Il faut l'excuser. Depuis que cette histoire a démarré, elle n'a plus toute sa tête. Joyce et moi ne voulons pas la mettre dans une institution.

— Vous avez bien raison ! Louella m'a dit qu'elle venait ici la nuit, et...

Elle se tut. Pouvait-elle lui dévoiler les confidences de la vieille dame ? Stan était son gendre. Mais il était surtout le shérif. Son badge et son pistolet le lui rappelaient.

— J'ai entendu ce qu'elle vous a dit, Maggie.

Elle jeta un regard de compassion sur la forme endormie.

— Que faut-il faire ? Elle est si fragile. Je ne

puis supporter l'idée qu'on la punisse pour une chose qu'elle a faite il y a si longtemps. Pourtant, si elle a tué...

Stan se frotta la nuque, pensif.

— Ce qu'elle vous a dit n'est pas nécessairement vrai.

— Mais ce qu'elle affirme a peut-être un sens, insista Maggie. Elle était au courant au sujet de l'argent. Il est tout à fait plausible qu'elle l'ait caché dans la malle puis qu'elle l'ait oublié. Son esprit était bloqué parce qu'elle refusait de se souvenir de...

Maggie hésita, puis se força à poursuivre.

— Stan, c'est la seule explication possible à cette visite nocturne. La pauvre femme a besoin qu'on l'aide. Or la police ne peut rien pour elle. C'est un médecin qu'il lui faut.

Stan parut soulagé.

— Elle en aura un. Le meilleur que Joyce et moi puissions trouver.

Bouleversée, Magie s'appuya sur la table.

— Elle vous adore. Elle parle toujours en bien de vous, de votre amour pour Joyce. Je crois qu'elle serait capable de tout pour vous protéger et faire en sorte que cet amour dure.

Pendant qu'elle parlait, son regard se posa sur les photos étalées sur la table. Elle aperçut celle prise par Joyce, le cliché en couleur représentant Morgan et Stan. Ils se tenaient près du ravin. Maggie plissa les yeux et étudia la photo de plus près. Il y avait un détail... La bague. Le lieutenant Reiker ne lui avait-il pas dit que Joyce l'avait reconnue comme appartenant à son père ? Pourtant, sur l'instantané, c'était Stan qui la portait.

Elle leva les yeux et croisa son regard. Il savait qu'elle savait.

— Vous n'auriez pas dû vous mêler de ça, Maggie.

Elle ne réfléchit pas, ne tenta pas de le raisonner, ne fit que réagir.

Maggie se retrouva dans le hall, la main sur la poignée de la porte d'entrée, avant que Stan ait le temps de bouger. Coincée ! Pourquoi n'avait-elle pas demandé à Bog... ?

— Ne faites pas cela, dit-il d'une voix lasse. Je ne vous veux aucun mal. Il faut que je réfléchisse.

Le dos contre la porte, Maggie fit face. Elle se trouvait seule dans la maison, en compagnie d'un meurtrier. Seule avec une vieille femme qui aimait suffisamment cet homme pour l'avoir protégé pendant dix ans. Maggie le vit poser la main sur la crosse de son pistolet.

— Nous ferions mieux d'aller nous asseoir.

Cliff but une deuxième tasse de café en souhaitant que ce fût du whisky. S'il avait voulu se rendre ridicule auprès de cette femme, il ne s'y serait pas pris autrement. Il jeta un regard morne autour de lui. Le petit bar sentait l'œuf au plat et la saucisse, un moyen infaillible pour lui couper l'appétit.

Comment avait-il pu se conduire aussi bêtement ? Quelle femme en possession de tout son bon sens serait assez stupide pour accepter une demande en mariage faite sur ce ton ? Maggie l'avait envoyé promener et elle avait eu raison.

D'un autre côté, il ne changerait pas ses manières pour ses beaux yeux. Maggie menait peut-être une autre vie, mais c'était un choix qu'elle avait fait avant de le rencontrer.

Il n'aurait pas dû s'affoler en apprenant son intention d'enregistrer cette chanson. Elle reviendrait. Jamais personne ne s'était enraciné aussi vite dans une communauté. Sa terre était tellement importante pour elle. Autant qu'elle pouvait l'être pour un agriculteur du cru, ou pour lui-même. Au fond, la propriété avait été leur premier lien, et le seul... Cliff considérait qu'ils n'avaient rien d'autre en commun.

Elle reviendrait, se répéta-t-il. Pas parce qu'un imbécile l'avait demandée en mariage, mais parce qu'elle le désirait. Maggie n'était pas femme à se laisser bousculer, et elle voulait réellement vivre ici. Pour ces deux raisons, il l'aimait.

Il aurait dû le lui dire.

Repoussant sa tasse, Cliff consulta sa montre-bracelet. Maggie avait eu une heure pour dormir ou réfléchir. Il était temps de la demander en mariage correctement. Il jeta un peu de monnaie sur le comptoir et sortit en sifflotant.

Comme il démarrait, il aperçut Joyce qui courait à sa rencontre.

— Cliff !

Il stoppa et descendit d'un bond du pick-up.

— Un des gosses est malade ?

— Non.

Joyce s'agrippa à son bras. Elle était décoiffée, hagarde.

— C'est ma mère. Elle n'est pas rentrée de la nuit. Et je n'arrive pas à mettre la main sur Stan.

— Nous allons la retrouver.

Il écarta une mèche de son visage et lui sourit, rassurant.

— Louella était peut-être énervée et a décidé de faire une promenade.

— Cliff, je crois qu'elle est retournée à la maison. Celle que j'ai vendue. Ce ne serait pas la première fois.

Cliff pensa à Maggie et se sentit mal à l'aise. Pourtant, il continua à sourire à Joyce.

— Maggie s'y trouve. Elle s'occupera de Louella.

— Mais maman va de mal en pis. Oh, mon Dieu ! Moi qui pensais que c'était la bonne solution.

— De quoi parles-tu ?

— J'ai menti à la police. J'ai menti sans réfléchir, mais je le referais si c'était à refaire.

Elle leva la tête et le fixa droit dans les yeux.

— Je sais qui a tué mon père. Depuis quelques semaines. Et maman le sait depuis dix ans.

— Monte, lui dit-il en la poussant vers le véhicule. Tu me raconteras la suite en route.

Maggie était seule dans la grande maison, au milieu des bois.

Maggie, assise sur un petit banc, bien droite, observait Stan qui faisait les cent pas dans la pièce. Elle aurait bien voulu croire qu'il ne lui ferait pas de mal. Mais il avait déjà tué. Pour s'en sortir, il ne lui restait qu'une solution : se débarrasser d'elle.

— Je ne voulais pas que Joyce vende la maison. J'ai toujours refusé. L'argent ne comptait pas pour moi, ni le sien ni celui de son père.

Comment pouvais-je deviner qu'elle la mettrait en vente pendant mon absence ?

Il transpirait abondamment, ce qui, pour une raison qu'elle ignorait, ne faisait qu'accentuer son malaise.

— Joyce a menti à la police au sujet de la bague.

— Parce qu'elle vous aime, parvint-elle à articuler.

— Elle ignorait tout. Mais lorsque j'ai été obligé de lui apprendre la vérité, elle m'a soutenu. Que peut-on demander de plus à la femme qu'on aime ?

Ils restèrent un long moment sans parler. Seul le bruit de ses pas venait rompre le silence.

— Je ne l'ai pas assassiné, dit-il enfin. C'était un accident.

— Pourquoi ne pas aller le dire à la police ? Si vous vous expliquiez...

— Expliquer ? la coupa-t-il. Expliquer que j'ai tué un homme, que je l'ai enterré, que j'ai précipité sa voiture dans le fleuve ?

Il se passa la main sur le visage. Il semblait las, sans ressort.

— J'avais vingt ans. Joyce et moi nous aimions depuis deux ans. Comme Morgan nous avait dit et répété qu'il ne voulait rien de sérieux entre nous, nous nous voyions en cachette. Mais lorsque Joyce a découvert qu'elle était enceinte, il n'y a plus eu de secret possible.

Il s'appuya au montant de la fenêtre et soupira.

— Nous aurions dû nous douter que quelque chose n'allait pas lorsqu'il a si bien pris la nouvelle. Mais nous étions tellement heureux de pouvoir enfin nous marier et fonder une famille ! Quand il nous a demandé de n'en rien dire à personne, le temps pour lui d'arranger la cérémonie, nous avons obéi.

Maggie ferma les yeux et revit le visage sévère sur la photo.

— Il mentait, n'est-ce pas ?

— Oui. Mais nous étions si joyeux que nous ne nous sommes pas souvenus de l'homme qu'il était.

Il se remit à aller et venir de la fenêtre au centre de la pièce.

— Puis il m'a dit qu'il y avait des marmottes sur ses terres et qu'il fallait nous en débarrasser. J'étais jeune, prêt à tout pour qu'il m'accepte dans sa famille. Je lui ai répondu que je viendrais un soir après le travail, avec mon fusil de chasse, et que j'en faisais mon affaire.

Maggie frissonna, fixa son pistolet.

— La nuit était tombée lorsqu'il est arrivé. Je ne l'attendais pas. Quand il est descendu de sa voiture, je me rappelle avoir pensé qu'il ressemblait à un croque-mort. Il était entièrement vêtu de noir, ses chaussures étaient cirées de frais. Il portait une petite boîte en métal qu'il déposa sur une souche, près du ravin. Et il ne perdit pas de temps.

Stan la regarda un moment avant de poursuivre.

— Il me déclara qu'il ne laisserait pas un moins que rien épouser sa fille, qu'il allait l'envoyer au loin. En Suède ou ailleurs. Là, elle ferait le bébé et l'abandonnerait. Mais il ne fallait pas que je reste en ville. Il y avait vingt-cinq mille dollars dans la boîte. Je devais les prendre et disparaître.

Ainsi l'argent était destiné à acheter Stan.

— Je ne pouvais arriver à croire qu'il s'apprêtait à m'enlever Joyce et le bébé. Je le lui dis, je hurlai mon dégoût. Il ne se fâcha pas. Il semblait si sûr de lui ! Il ouvrit même la boîte pour me montrer les billets, comme pour mieux me tenter. Je la frappai et elle tomba de ses mains.

Il respirait plus vite, maintenant. Maggie avait toujours peur, mais elle ressentait également une immense pitié pour Stan.

— Il ne perdit pas son sang-froid, se pencha et ramassa les billets. Il croyait que je voulais plus. Il ne pouvait pas comprendre. Mais lorsqu'il entrevit la vérité, sut que je n'accepterais jamais son sale argent, il reposa la boîte sur la souche et s'empara de mon fusil, aussi calmement qu'il avait manipulé la boîte. Il allait me tuer et s'en sortir, et je ne reverrais jamais Joyce et mon gamin. Je me jetai sur lui.

Les yeux écarquillés, Stan semblait revivre la scène.

— Le vieil homme était fort, très fort pour son âge. Il m'aurait tué si je n'avais réussi à lui arracher l'arme des mains. Je suis tombé en arrière, et le coup est parti.

Ce fut au tour de Maggie de voir la scène.

— Mais vous ne faisiez que défendre votre vie ! s'exclama-t-elle.

Stan secoua la tête.

— J'avais vingt ans, j'étais pauvre, je venais de tuer l'homme le plus riche du comté. Il y avait vingt-cinq mille dollars près de son cadavre. Qui m'aurait cru ? Je fis alors la seule chose raisonnable. L'enterrer avec son argent et précipiter sa voiture dans le fleuve.

— Et Louella ?

— Je ne savais pas qu'elle m'avait suivi. Je crois qu'elle avait deviné les intentions de Morgan et qu'elle se doutait qu'il ne me laisserait jamais épouser sa fille. Je ne pensais pas qu'elle avait assisté à tout cela de l'orée des bois. Si je l'avais su, les choses se seraient passées différemment. Je comprends maintenant pourquoi elle ne s'est jamais remise de la mort de son mari. Je crois que c'est pour me protéger qu'elle a déterré la boîte et l'a dissimulée dans le grenier.

— Et Joyce ?

— Elle n'a jamais rien su. Il faut me comprendre. Je ne pouvais le lui dire. Je l'aimais trop. Depuis qu'elle était toute petite. Elle aurait pu croire que ce n'était pas un accident. Pendant des années, j'ai tout fait pour me racheter. Je me suis consacré à la loi, à la ville. J'ai été le meilleur père et le meilleur mari possible.

Il ramassa la photo et la froissa dans sa main.

— Sans cette photo... Sans la bague. Je ne m'aperçus de sa disparition que bien après, tant j'étais bouleversé. La bague de mon grand-père. Et dix ans plus tard on la retrouve près des restes de Morgan. Lorsque Joyce a déclaré que c'était celle de son père, j'ai compris qu'elle savait et avait décidé de me soutenir. Elle ne m'a pas questionné. Quand je me suis expliqué, elle m'a cru. J'ai vécu tant d'années avec mon secret.

— Louella a tout vu. Elle témoignera en votre faveur.

— Elle est en train de perdre la tête. Qui sait

si elle sera capable de se souvenir ? Et puis il y a Joyce, ma famille, ma réputation.

Maggie le vit poser de nouveau la main sur la crosse du pistolet.

Cliff s'engagea dans l'allée à une vitesse folle, faisant voler le gravier sous les roues du pick-up. Le récit de Joyce était clair. Maggie se trouvait mêlée à cette histoire et risquait sa vie. Et elle était seule. Seule à cause de la stupidité de l'homme qui aurait dû être à ses côtés pour la protéger.

Une ombre se dressa sur le chemin, l'obligeant à stopper.

— Bonjour, monsieur Delaney, dit Reiker. Madame Agee.

— Où est Maggie ?

— A l'intérieur. Elle va bien et il faut que cela continue.

— J'y vais.

— Pas encore.

Il se retourna vers Joyce.

— Votre mère est également là. Elle dort. Votre mari s'y trouve aussi.

— Stan !

Cliff et Joyce, descendus de la camionnette, s'avancèrent vers la maison, mais le lieutenant les arrêta d'un geste.

— Stan a tout raconté à Miss Fitzgerald. Nous les surveillons de près.

— Pourquoi ne pas l'avoir fait sortir ? demanda Cliff.

— Elle sortira. Ils sortiront tous. Sans drame.

— Comment savez-vous qu'il ne lui fera pas de mal ?

— Il n'en fera pas si nous ne l'énervons pas. Madame Agee, j'ai besoin de votre aide. Votre mari a certainement entendu cette voiture approcher. Vous devez lui apprendre que vous êtes ici.

Dans la maison, Stan se tenait près d'une fenêtre. Il serrait le bras de Maggie. Elle ferma les yeux et pensa à Cliff. S'il revenait maintenant, le cauchemar se terminerait.

— Il y a quelqu'un dehors, murmura Stan. Je ne peux pas risquer que vous parliez. Comprenez-moi, je ne peux pas courir ce risque.

— Je ne dirai rien. Stan, écoutez-moi. Je désire vous aider. Il faut me croire. Si vous me tuez, vous ne vous en sortirez jamais.

— Dix ans ! s'écria-t-il. Dix ans et il trouve encore le moyen de gâcher ma vie !

— Si vous me touchez, votre existence sera ruinée.

Il fallait absolument qu'elle reste calme, qu'elle parvienne à le raisonner.

— Ce ne serait pas un accident, cette fois, Stan. Ce serait un meurtre. Et Joyce ne le comprendrait pas.

— Stan ! Stan, rends-toi !

La voix de Joyce !

— Va-t'en ! hurla Stan. Ceci ne te regarde pas.

— Tu te trompes. Tout ce que tu as fait, tu l'as fait pour moi.

Joyce s'approcha de la maison, le cœur battant.

— N'avance pas ! cria-t-il. Il a ruiné notre vie.

— Il ne peut plus rien contre nous, Stan. Nous sommes ensemble, nous le serons toujours.

— On va m'enfermer pour un crime que je n'ai pas commis.

— Je t'attendrai. Nous lutterons. Rends-toi, Stan. Ne fais rien qui m'oblige à te détester.

Stan serrait le bras de Maggie à le rompre. Il se tourna vers le ravin et soupira.

— Dix ans, et il est toujours là.

Lentement, il posa le pistolet sur le rebord de la fenêtre, puis il lâcha Maggie.

— N'ayez plus peur. Je vais rejoindre ma femme.

Maggie se traîna jusqu'au piano et se laissa tomber sur le tabouret. Elle sentit des bras l'enlacer.

— Maggie ! Mon Dieu, Maggie !

Cliff, enfin !

— J'ai vécu les dix plus longues minutes de ma vie, avoua-t-il avant de l'embrasser.

Elle n'avait pas besoin d'explications. Il suffisait qu'il soit là.

— Je savais que vous viendriez.

— Je n'aurais jamais dû vous laisser seule.

Maggie éclata d'un rire nerveux.

— Je vous avais bien dit que je pouvais me débrouiller seule.

Cliff rit à son tour, soulagé. Elle était dans ses bras, le cauchemar s'achevait.

Il pensa au visage livide de Louella, au regard angoissé de Stan, à la voix tremblante de Joyce.

— Ils ont déjà été assez punis, murmura Maggie, comme si elle lisait dans ses pensées.

— Peut-être. S'il vous avait fait du mal...

— Il ne m'aurait rien fait. Il en aurait été incapable. Je veux mon étang, Cliff. Je veux que vous le finissiez aussitôt que possible et que votre saule s'y mire.

— Vous l'aurez. Et moi ? Me voulez-vous ?

Elle retint un instant sa respiration. Elle allait essayer de nouveau et voir s'il comprenait.

— Pourquoi voudrais-je de vous ?

— Mais parce que je vous aime !

Maggie laissa échapper un soupir de soulagement.

— Enfin, la bonne réponse, murmura-t-elle en tombant dans ses bras.

Achevé d'imprimer en février 1986
sur les presses de l'imprimerie Bussière
à Saint-Amand (Cher)

N° d'imprimeur : 2075
N° d'éditeur : 1012
Dépôt légal : mars 1986

Imprimé en France